М.А. Зиганов

Скорочтение

Москва Эксмо 2005

Сделай себя сам

УДК 159.953/02
ББК 88.4/74.202.5
    З 59

Зиганов М. А. — *доктор педагогических наук (МАН), профессор Европейского университета права, директор Школы рационального чтения, основатель Ломоносовской школы*

Зиганов М. А.
З 59   Скорочтение. – М.: Изд-во Эксмо, 2005. – 224 с. – (Сделай себя сам).

ISBN 5-699-07380-9

Данная книга является уникальным курсом по развитию навыков рационального чтения с максимальным качеством усвоения материала и с минимальными затратами времени и усилий.

Книга содержит оригинальные разработки психологов, лингвистов, физиологов, медиков, социологов и педагогов, прошедшие апробацию в течение 25 лет в Школе рационального чтения и показавшие высокую эффективность.

Ознакомившись с теоретическими вопросами и рекомендациями специалистов, выполнив несложные и увлекательные практические упражнения, развивающие внимание, мышление, воображение, память, читатель получит возможность легко, продуктивно и быстро прочитывать книги любой сложности.

Книга предназначена для широкого круга читателей.

УДК 159.953/02
ББК 88.4/74.202.5

ISBN 5-699-07380-9

СОДЕРЖАНИЕ

КАК ВЫ ЧИТАЕТЕ СЕЙЧАС

Давайте с самого начала определим ваше читательское мастерство. Вполне может так случиться, что ваши читательские навыки окажутся значительно превосходящими те, которые в этой книге развиваются путем тренировки. Не так ли?

Начнем с подсчета коэффициента рациональности (разумности) вашего чтения. Иными словами, мы с вами постараемся оценить, насколько разумно (экономно и с пользой) вы используете свои возможности: не экономите ли вы их слишком или, наоборот, не разбрасываетесь ли вы своим интеллектуальным трудом во время чтения. Если ваш коэффициент окажется высоким, то вы сможете гордиться этим, но, возможно, из соображений скромности не будете рекламировать, ведь о результатах будете знать только вы...

ОЦЕНКА РАЦИОНАЛЬНОСТИ ЧТЕНИЯ

Обведите наиболее подходящие ответы на 11 вопросов

1. Перед чтением новой книги, новой статьи и т.д. вспоминаете ли вы все, что знаете по данной тематике?

а) Никогда; б) иногда; в) часто; г) всегда.

2. Просматриваете ли вы весь текст для предварительного ознакомления перед тщательным изучением?

а) Никогда; б) иногда; в) часто; г) всегда.

3. Удается ли целиком сосредоточиться на тексте, который вы читаете?

а) Долго не могу сосредоточиться, часто отвлекаюсь;

б) иногда удается, если интересный материал;

в) удается только после прочтения нескольких страниц;

г) сразу удается сосредоточиться, даже если не очень интересно.

4. Пытаетесь ли вы предугадать содержание, факты, особенности материала, который вы собираетесь прочитать?

а) Никогда; б) иногда; в) часто; г) всегда.

5. Возвращаетесь ли вы во время чтения к уже прочитанной части текста?

а) Всегда; б) иногда; в) редко; г) никогда;

6. Проговариваете ли вы вслух или про себя то, что вы читаете?

а) Всегда; б) часто; в) редко; г) никогда.

7. Как двигаются ваши глаза при чтении?

а) Вдоль строки, останавливаясь на каждом слове;

б) вдоль строки, делая 2—3 остановки;

в) зигзагообразно от строки к строке;

г) вертикально по середине страницы.

8. Как вы запоминаете информацию?

а) Запоминаю все, что удается;

б) стараюсь запомнить все, даже самую незначительную информацию;

в) отбрасываю ненужное, запоминаю только существенную информацию;

г) отбрасываю ненужное, выделяю основные мысли и связываю их логически.

9. Планируете ли вы время, необходимое для прочтения каждого текста?

а) Никогда;

б) иногда, только во время подготовки к экзаменам;

в) часто планирую время чтения;

г) всегда планирую время чтения.

10. Перед началом чтения планируете ли вы стратегию чтения (читать основательно или выборочно, или поверхностно просмотреть весь текст)?

а) Никогда; б) иногда; в) часто; г) всегда.

11. Как вы повторяете информацию, которую хотите сохранить в памяти надолго?

а) Никогда не повторяю;

б) перечитываю еще раз;

в) самостоятельно вспоминаю информацию;

г) самостоятельно вспоминаю и составляю короткий конспект.

	1	2	3	4	5	6	7	8	9	10	11
буква											
балл											

Просуммируйте баллы за каждый выбранный ответ:

а) 1 балл; б) 2 балла; в) 3 балла; г) 4 балла.

Если ваш результат

более 40 баллов — вам не нужно заботиться о развитии ваших читательских навыков и стоит обратить внимание на курсы развития памяти;

от 33 до 40 баллов — вы привыкли много работать с текстовой информацией, поэтому ваши приемы чтения достаточно эффективны. Курс «Скорочтение» позволит вам быстрее ориентироваться в тексте и усваивать намного больше информации в единицу времени;

от 25 до 33 баллов — вам необходимо совершенствовать свое чтение. Ваши приемы чтения не позволяют вам быстро и полно усваивать необходимую информацию. Вам не всегда удается сосредоточиться. Вы переутомляетесь при длительной работе с текстом. Курс «Рациональное чтение» — для вас;

менее 25 баллов — вы тратите слишком много времени и сил для того, чтобы запомнить необходимую информацию, часто отвлекаетесь и не всегда понимаете смысл прочитанного. Поэтому вы не испытываете удовольствия во время чтения. Обучение на курсе «Рациональное чтение» позволит вам читать сложные тексты с глубоким пониманием, быстро и точно находить необходимую информацию в тексте большого объема, сделает чтение приятным.

Для того чтобы оценить объективные параметры ваших читательских навыков, необходимо измерить скорость чтения и качество усвоения информации.

ОЦЕНКА СКОРОСТИ ЧТЕНИЯ И КАЧЕСТВА УСВОЕНИЯ

Результаты вашего обучения по нашему курсу будут оцениваться по контрольным тестам. В начале и в конце курса обучения вы прочитаете два контрольных текста, различных по содержанию, но примерно одинаковых по степени сложности для понимания и запоминания. Тексты — популярные, рассчитанные на «среднего читателя». Обычно сравнение результатов чтения контрольных текстов в начале и в конце обучения показывает, что качество усвоения и скорость чтения возрастают в несколько раз.

Контрольный текст следует читать, зафиксировав по часам или секундомеру время, затраченное на чтение (в минутах и секундах). Время можно определять с точностью до 5 секунд.

Текст читайте один раз. Если вам все же понадобится прочитать текст дважды, то зафиксируйте полное время работы с текстом. Читать следует с максимально возможной скоростью и с максимально возможным качеством усвоения. Попытайтесь запомнить все существенные по смыслу и эмоциональному восприятию факты, мысли.

По окончании чтения письменно ответьте на вопросы к контрольному тексту. Прочитывать контрольные вопросы до начала чтения контрольного текста не разрешается. Приготовьте секундомер или часы.

Если да, то зафиксируйте время (запишите время, которое показывают часы, или включите секундомер) и прочитайте контрольный текст.

Не переворачивайте лист, пока не подготовитесь к чтению!

МИДИИ

В. Хлебович

Вдоль береговой линии многих морей земного шара, особенно там, где на мелководье волны прибоя разбиваются о скалы или гасятся зарослями водорослей фукусов, живут удивительные двустворчатые моллюски — мидии. Они могут покрывать сплошной щеткой склоны подводных скал или отдельных камней, поселяться среди морской растительности или образовывать большие колонии на илисто-песчаных грунтах, так называемые «мидиевые банки». Эти моллюски оказывают явное предпочтение местам с сильным течением, которому противостоят, прочно прикрепляясь к субстрату нитями биссуса, продукта выделения специальных желез. Они часто бывают главной составной частью сообщества организмов, нарастающих на днищах судов или решетках и трубах водозаборных сооружений и этим причиняющих хозяйственный вред: скорость судов снижается из-за увеличивающегося трения корпуса о воду, а водозаборы (например, для охлаждения промышленных установок) дают воду намного меньше расчетного количества.

Из мидий особого значения заслуживают два вида: широко распространенная в северной части Атлантического океана и в водах Дальнего Востока мидия съедобная и немного более теплолюбивая мидия средиземноморская, обычная в Черном и Азовском морях. Оба вида очень близки по строению тела и образу жизни и иногда рассматриваются просто как подвиды одного вида.

Мидия съедобная часто поселяется на литорали — в зоне, осушаемой во время отлива. На севере она может 6—8 месяцев быть вмерзшей в лед при температуре до -20°С. Продвижение ее на юг ограничено температурой +27°С, выше которой моллюски погибают. Нерест мидий начинается при температуре +10°С. Мельчайшие яйца в огромном количестве выбрасываются в толщу воды, где и оплодотворяются. Очень быстро формируется плавающая личинка. Личинка оседает на подходящий субстрат, приобретает раковину и превращается в миниатюрного моллюска привычного вида.

Мидии — типичные фильтраторы. Биением ресничек жабр они пропускают через себя массу воды, отбирая из нее взвешенные микроскопические водоросли или частицы детрита — полуразложившиеся, нашпигованные бактериями фрагменты погибших животных и растений.

Жители морских побережий издавна использовали мидий в пищу. Об этом свидетельствуют громадные скопления раковин, так называемые «кухонные кучи» — следы трапез древних людей. И сейчас мидии — традиционная и в то же время лакомая пища многих европейских народов, особенно французов и голландцев. Моллюсков едят свежими, отваривают или консервируют. Во Франции в Лилле проводится ежегодно праздник, на котором на столе царствует мидия. Например, в 1980 г. за 48 часов в городе было съедено 400 тонн этого морского моллюска.

Мидия издавна пользуется большой популярностью у хозяек. Лет пятнадцать назад на знаменитом одесском рынке «Привозе» продавались кучки свежих моллюсков, из которых приготавливали очень вкусный плов. Специальные «мидиевые дни» бывают в ресторанах Керчи. Предприятия Мурманска выпускают мидиевые консервы — отваренные и слегка прокопченные моллюски в банках с маслом. Во многих городах с мидией как с пищей практически не знакомы. И напрасно. Потому что мясо этих моллюсков не просто питательно, а обладает изумительным тонким вкусом. Когда-то одесситы научили меня готовить мидию, сначала отваривая ее, а затем поджаривая на сковородке. В экспедициях на Белом и Баренцевом морях и на Дальнем Востоке я предлагал это блюдо многим коллегам, и не было случая, чтобы оно кому-нибудь не понравилось.

В мире ежегодно добывается, перерабатывается в высококачественные продукты питания около 300—400 тысяч тонн мидий, причем больше половины этого количества приходится на европейские страны. Почти все поступающие на рынок моллюски выращиваются в специальных хозяйствах. Особенно хорошо зарекомендовал себя способ выращивания мидий на канатах, спускаемых с поставленных на якоря плотов.

Принцип работы мидиевого хозяйства чрезвычайно прост. Парящие в толще воды личинки моллюсков оседают на свисающие с плотов канаты, прикрепляются к ним нитями биссуса и начинают питаться, профильтровывая массу воды. Со стороны человека никаких забот о кормах. Мидии добывают пищу сами, не двигаясь с места. Нужно только таким образом подобрать место для постановки плотов, чтобы в толще воды развивалось достаточное количество микроскопических водорослей, которыми в основном и питается моллюск. Важно также, чтобы плоты стояли на течении, потому что в застойных местах мидиям приходится профильтровывать одну и ту же массу воды многократно, в значительной мере вхолостую. Когда моллюски достигают товарного размера, канаты с ними поднимаются на поверхность.

Собранных мидий обрабатывают горячим паром, в результате чего мясо их уплотняется, а раковины приоткрываются. В больших вращающихся барабанах мясо отделяется от раковин и поступает на дальнейшую переработку, обычно в консервы. Раковины же размалывают в муку, которая как отличная минеральная подкормка пользуется постоянным спросом в животноводстве, особенно на птицефабриках.

Отсутствие необходимости производить корма, возможность полной механизации на всех этапах выращивания и обработки продукции, безотходность производства делают мидиеводство одной из выгоднейших отраслей прибрежного морского хозяйства. К этому нужно еще добавить колоссальную, просто фантастическую продуктивность мидиевых ферм. Так, с одного гектара плантаций моллюсков в Испании собирают до 120 тонн чистого (без раковин) мяса мидий. Это в 500 раз больше того количества говядины, которое дает один гектар пашни. Исследования биологии мидий показывают, что не меньшей может быть урожайность мидиевых хозяйств во многих районах Черного и Азовского морей.

Высочайшая продуктивность мидиевых хозяйств обеспечивается пока выращиванием исключительно диких животных. Каждый раз на субстраты плотов садятся личинки, принесенные от родителей из природных поселений. Никакого подбора производителей, никакого искусственного отбора в мидиевых хозяйствах никогда не производилось. Но можно не сомневаться, что в результате планомерного отбора мы можем получить истинно домашнюю форму мидий с продуктивностью, превышающей ту, которая сейчас достигнута на морских фермах.

Одомашнивание мидий, конечно, очень не простое дело. Поселения, в которых предстоит вести отбор на быстрый рост или большую массу мяса, должны быть надежно изолированы от диких популяций. На каком-то этапе селекционная работа должна производиться с племенным материалом, содержащимся в аквариальных установках. Специалисты из американского штата Орегон создали искусственную морскую воду такого состава, что в ней можно проводить оплодотворение яиц мидии и подращивание личинок вплоть до стадии, когда они могут оседать на субстрате.

Остановите секундомер и зафиксируйте время чтения.

Переверните страницу.
Больше не заглядывайте в текст.
Запишите время, затраченное на чтение: ____ минут ___ секунд.
Теперь, не заглядывая в текст, письменно ответьте на две группы вопросов. Старайтесь давать краткие, но исчерпывающие ответы. Запишите все возможные варианты ответов. Если вы не можете ответить на какой-либо вопрос, поставьте прочерк и больше к нему уже не возвращайтесь.

ВОПРОСЫ ПО ОСНОВНОЙ ИНФОРМАЦИИ

1. В каких местах морского дна обычно обитают мидии и каким условиям они отдают предпочтение?

1	

2. Какие виды мидий имеют особое значение в народном хозяйстве и чем они отличаются друг от друга?

2	

3. В каком температурном интервале проживает мидия съедобная?

3	

4. Что выбирают из воды мидии во время фильтрации?

4	

5. В каком виде обычно употребляют мидии в пищу?

5	

6. В каких городах мидия пользуется популярностью среди хозяек в качестве продукта питания?

7. В каких условиях вырастает большинство мидий, поступающих на рынок: в море, в естественных условиях или в специальных хозяйствах?

8. Опишите принцип работы мидиевых хозяйств.

9. Опишите способ обработки мидий и объясните суть каждой операции.

10. Перечислите все преимущества мидиеводства перед другими видами прибрежного морского хозяйства.

11. За счет чего может быть достигнута наивысшая продуктивность мидиевых хозяйств?

12. Назовите обязательное условие процесса одомашнивания мидий?

Коэффициент усвоения главных мыслей и фактов = ____%.

ВОПРОСЫ ПО ВТОРОСТЕПЕННОЙ ИНФОРМАЦИИ

1. Какой вред может наносить людям мидия?

1	

2. Чем отличается строение тела мидии съедобной и мидии средиземноморской?

2	

3. Что происходит с мидиями, если вода, в которой они находятся, замерзает?

3	

4. С каких пор люди употребляют мидии в пищу?

4	

5. В каких странах мидия является традиционной и лакомой пищей?

5	

6. Сколько мидий ежегодно перерабатывается в продукты питания?

6	

7. Как используют раковины мидий после их отделения от мяса?

7	

8. Сравните продуктивность мидиевых ферм с продуктивностью животноводческих хозяйств.

9. Какие этапы селекционной работы проводятся в искусственной морской воде?

10. До какой стадии подращиваются личинки мидий?

10	

Коэффициент усвоения второстепенных мыслей и фактов = _____ %.

Проверьте правильность и полноту ваших ответов, сверяя их с ответами, приведенными ниже и проставляя баллы за свои ответы.

Предложенные ниже ответы не претендуют на абсолютные. Ваши ответы могут быть более подробными либо иметь другие формулировки, но при проставлении баллов все же следует учитывать ВСЕ приведенные в наших ответах факты и мысли.

В пустых ячейках бланков слева от каждого вашего ответа проставьте баллы по следующему принципу:

— присвойте себе балл, указанный в скобке после номера ответа, если ваш ответ полный и правильный;

— поставьте себе ноль баллов, если у вас отсутствует ответ или вы дали неправильный ответ;

— если вы дали неполный ответ или ответ, имеющий неточности, то возьмите от указанного в скобках балла ту долю, которая соответствует доле вашего ответа в приведенном полном и правильном ответе.

ОТВЕТЫ НА ВОПРОСЫ
ПО ОСНОВНОЙ ИНФОРМАЦИИ

1.(16)
1. На мелководье среди скал или среди водорослей.
2. На илисто-песчаных грунтах.
3. На искусственных сооружениях (трубах, днищах кораблей).
4. Отдают предпочтение местам с сильным течением.

Примечание. *Каждый пункт ответа оценивается как часть от 9 баллов:*
— первый, второй и третий пункты оцениваются в 2 балла каждый;
— четвертый пункт оценивается в 3 балла.

2. (8)
1. Мидия съедобная и средиземноморская.
2. Более теплолюбивая и менее теплолюбивая.

3. (4)
1. От −20 градусов до +27 градусов.

4. (8)
1. Микроскопические водоросли.
2. Частички (гниющие остатки) погибших животных и растений.

5. (12) 1. Отваривают.
         2. Консервируют.
         3. В сыром виде.
         4. Поджаривают.
6. (4)   1. Мидия известна только в Одессе и Керчи.
7. (4)   1. В специальных хозяйствах.
8. (12) 1. Устанавливаются плоты со свешивающимися канатами.
         2. К канатам самостоятельно прикрепляются личинки моллюсков мидий.
         3. Мидии питаются и растут до нужных размеров.
9. (8)   1. Мидии обдаются паром. Мясо уплотняется, а раковины раскрываются.
         2. В барабанах мясо отделяется от раковин. Мясо и раковины идут на разную переработку.
10.(16) 1. Отсутствие необходимости производить корма.
         2. Полная механизация на всех этапах выращивания и обработки продуктов.
         3. Безотходность производства.
         4. Высокая продуктивность.
11.(4)   1. За счет планомерного искусственного отбора производителей.
12.(4)   Поселения должны быть изолированы от диких популяций.

ОТВЕТЫ НА ВОПРОСЫ
ПО ВТОРОСТЕПЕННОЙ ИНФОРМАЦИИ

1. (10) Могут снижать скорость водозабора и скорость судов.
2. (10) Ничем.
3. (10) Вмерзшая в лед мидия может оставаться живой несколько месяцев (6—8 месяцев).
4. (10) Мидии употребляют в пищу издавна.
5. (10) В европейских странах.
6. (10) 300—400 тысяч тонн мидий в год.
7. (10) Раковины мидий размалывают в муку.
8. (10) Продуктивность мидиеводства в 500 раз выше продуктивности животноводства.
9. (10) 1. Оплодотворение яиц мидии.
         2. Подращивание личинок.
10. (10) До тех пор, пока они самостоятельно не смогут оседать на субстрате.

Теперь суммируйте проставленные баллы за ответы на основные вопросы:

___ + ___ + ___ + ___ + ___ + ___ + ___ + ___ + ___ + ___ + ___ + ___ = ____

Полученное число в процентах обозначает КОЭФФИЦИЕНТ КАЧЕСТВА УСВОЕНИЯ основных мыслей и фактов из прочитываемых вами текстов средней степени сложности:

$$K_{ом} = \_\_\_\_\_ \%.$$

Для справки: Обычные читатели, не владеющие навыками рационального чтения, прочитывают подобные тексты с коэффициентом усвоения в 35—65%.

А теперь суммируйте баллы за ответы на второстепенные вопросы:

___ + ___ + ___ + ___ + ___ + ___ + ___ + ___ + ___ + ___ = ____

Это число в процентах обозначает КОЭФФИЦИЕНТ КАЧЕСТВА УСВОЕНИЯ второстепенных мыслей и фактов, т.е. показывает то, как вы усваиваете вспомогательную, но нужную для понимания текста информацию.

$$K_{вм} = \_\_\_\_\_ \%.$$

И, наконец, получите СРЕДНИЙ КОЭФФИЦИЕНТ КАЧЕСТВА УСВОЕНИЯ содержания текстов, показывающий то, как вы воспринимаете, осмысливаете и запоминаете всю существенную информацию из прочитываемых текстов (основные и второстепенные мысли и факты). Для этого сложите два коэффициента и поделите на два:

$$K = (K_{ом} + K_{вм}) : 2 = \_\_\_\_\_ (\%).$$

Для того чтобы рассчитать СКОРОСТЬ ЧТЕНИЯ, нужно выполнить следующие действия:
1. Время чтения текста переведите в секунды и разделите на 60:
Итак, ваше время чтения текста «Мидии» равно:

$$T = \_\_\_\_\_ \text{ мин.}$$

2. Разделите объем прочитанного текста, измеряемый количеством букв (текст «Мидии» содержит примерно 5500 букв), на время чтения. Вы получите скорость перемещения взгляда по тексту (некоторые специалисты, в том числе и в общеобразовательной школе, называют эту величину скоростью чтения).

Итак, ваша скорость перемещения взгляда по тексту равна

$$5500 : \underline{\hspace{2cm}} = \underline{\hspace{3cm}} \textbf{(букв в минуту).}$$

3. Умножьте полученное число на коэффициент усвоения и разделите на 100%. Вы получите СКОРОСТЬ ЧТЕНИЯ, УЧИТЫВАЮЩУЮ КАЧЕСТВО УСВОЕНИЯ. Для удобства скорость чтения следует округлять до десятков и обозначать в единицах «зн/мин».

$$\underline{\hspace{3cm}} \times \underline{\hspace{3cm}} : 100 \% = \underline{\hspace{3cm}}.$$

Подведите итоги расчетов ваших начальных параметров чтения:

Скорость чтения = \underline{\hspace{1.5cm}} **зн/мин. Качество усвоения =** \underline{\hspace{1cm}}**%.**

Сравните свои начальные параметры чтения с параметрами чтения обычных читателей, не владеющих навыками рационального чтения:

Скорость чтения

Доля читателей от 100%	5%	80%	15%
Скорость чтения	До 300 зн/мин	300—800 зн/мин	800—1200 зн/мин
Качество усвоения	Менее 35%	35—65%	65—80%

Пусть вас не огорчают возможно низкие показатели чтения! Помните, что независимо от начальной скорости чтения и начального качества усвоения текста к концу обучения ваша скорость чтения увеличится в 3—5 раз, а коэффициент усвоения возрастет до 75—95%.

Школа рационального чтения УВЕРЕНА В ВАШЕМ УСПЕХЕ!

КАК ВЫ БУДЕТЕ ЧИТАТЬ ПОСЛЕ ОБУЧЕНИЯ

Для того чтобы у вас сложилось впечатление об обучении в Школе рационального чтения, ознакомьтесь с несколькими отзывами студентов, школьников, работающих и просто читателей о пользе приобретенных в ШРЧ навыков рационального чтения.

«Наши сотрудники регулярно работают с огромным количеством текстового материала — просматривают периодические издания, анализируют

публикации в прессе, им приходится запоминать большое количество имен, событий, дат. Благодаря полученным навыкам наши сотрудники стали быстрее и качественнее справляться с поставленными задачами, меньше уставать».

(Редакция газеты «МОСКОВСКАЯ ПРАВДА»)

«Пройденный курс по рациональной обработке информации позволил нашим студентам полнее реализовать свой интеллектуальный потенциал, почувствовать уверенность в собственных силах и дало сильную мотивацию для самообучения и продолжения образования».

(Московский государственный университет им. Ломоносова)

«Считаем, что курсы рационального чтения и тренировка памяти необходимы не только тем, чья деятельность связана с обработкой и анализом информации, но и всем, кто в современных условиях конкуренции на рынке рабочей силы стремится к приобретению интересных творческих профессий, профессиональному росту, успешному карьерному продвижению».

(Московское представительство компании «CANON»)

Если вы прилежно выполните все упражнения и рекомендации, то сможете смело назвать себя профессиональным читателем, так как вы будете обладать следующими качествами, умениями и навыками («навыки» — это «умения», доведенные до автоматизма, т.е. управляемые не на сознательном, а на подсознательном уровне).

1. Привычка[1] читать регулярно, в том числе газеты и журналы.

2. Умение быстро и точно выбирать нужные книги из большого объема литературы (или нужные тексты из книги).

3. Навыки психологической подготовки к чтению, для «удачной настройки» на чтение.

4. Навыки молниеносного просмотрового чтения.

5. Навыки быстрого выборочного и поискового чтения.

6. Навыки гибкого изменения скорости чтения в процессе работы с каждым текстом.

8. Умение оперативно и качественно выявлять существенную информацию из сложных учебных или научных текстов.

9. Умение читать сложные тексты с глубоким пониманием.

---

[1] В нашем курсе речь идет о тех привычках, умениях, которые доставят вам УДОВОЛЬСТВИЕ, но ни в коем случае не будут применяться на практике «скрипя зубами» или с чувством сожаления: «Ну вот! Меня опять потянуло в библиотеку, вместо того чтобы, как всем нормальным людям, посмотреть телевизор...»

10. Привычка размышлять во время чтения, формулировать собственные суждения.

11. Навыки качественного запоминания текстов с первого прочтения.

12. Навыки длительного хранения информации в памяти.

13. Умение читать неинтересные тексты, не отвлекаясь.

14. Умение быстро снимать утомление во время многочасового чтения сложных текстов.

15. Интерес к чтению как к процессу развития ума.

16. Любовь к чтению как к приятному времяпрепровождению.

Педагог, специалист в области обучения взрослых иностранному языку E. Faucher (Франция) в своей статье «Обучение быстрому чтению» в журнале «Les langues modernes» также высказывается о пользе приобретения навыков ускоренного чтения:

«В чем мы (французы. — Прим. авт.) сейчас нуждаемся, так это в большом количестве умеренно одаренных молодых людей, умеющих быстро и много читать и способных избавить научных работников от разбазаривания творческих сил и времени на совершение открытий, давно уже сделанных в Германии, России и в Соединенных Штатах Америки».

Далее автор статьи утверждает, что преподавателю первого иностранного языка гарантирован успех в случае, если он даст задание ученикам прочитать детектив. «Ученики проглотят 250 страниц полицейского романа быстрее чем за 15 дней. В отличие от избранного отрывка в 20 строчек полное издание романа создает условия подлинного общения.

Напрашивается возражение, что быстрое чтение мешает появлению и закреплению языковых навыков. В действительности дело обстоит как раз наоборот. Обученный быстро читать ученик приобретает навыки чтения без перевода, т.е. он опирается на прямое восприятие. В самом деле, в процессе перевода участвуют, как известно, многочисленные сложные механизмы, которые вдвое увеличивают время восприятия. Это как бы предмет роскоши, значение которого утрачивается при недостатке времени. Приобретая навыки восприятия текста за предельно короткое время, ученик соответственно освобождается от привычки чтения-перевода. Ведь общеизвестно, что перевод — это заклятый враг свободного стиля изложения. С другой стороны, ученик утрачивает привычку воспроизводить про себя фонемы, соответствующие графическим символам, через которые пробегает его взгляд».

КАК ЗАНИМАТЬСЯ ПО ЭТОЙ КНИГЕ

Книга, которую вы держите в руках, является учебным пособием. Как и многие другие учебники, эта книга содержит теорию, объясняющую механизмы мышления, процессы памяти, акты внимания. Иногда бывает очень полезно понять,

ПОЧЕМУ ЭТО ПРОИСХОДИТ и КАК ЭТО ПРОИСХОДИТ, чтобы легче понять КАК РАЗВИТЬ то умение или просто поверить в то, что ЭТО УПРАЖНЕНИЕ ПОЛЕЗНО.

Книга содержит описание заданий (упражнения) и тексты для их выполнения. В этом ее преимущество перед подобными книгами, написанными по проблемам ускорения чтения и развития памяти.

- *Все упражнения необходимо выполнять ежедневно в течение двух недель. Сначала на текстах из учебника, затем на легких научно-популярных текстах и только после этого на текстах по специальности.*
- *Если упражнение не содержит тренировочные тексты, то используйте тексты из той области знаний или интересов, в которой вы хотите читать рационально.*
- *При выборе дополнительных текстов используйте тексты, напечатанные отчетливо, узким форматом и крупным шрифтом.*

В качестве текстов для выполнения упражнений используются тексты о проблемах чтения, памяти, внимания, мышления. С точки зрения теории эти тексты могут показаться вам интересными, и вы, возможно, захотите прочитать их медленно, анализируя каждое предложение. Конечно, вы это можете сделать, но делайте это после того, как выполните упражнение в том темпе и с тем допустимо низким качеством, о которых говорится в описании упражнения. Возможно, упражнения на учебных текстах вы захотите повторить несколько раз. Но при этом помните, что желательно перечитывать тексты через неделю-две после предыдущего прочтения.

САМОЕ ПЕРВОЕ ЗАДАНИЕ
ПО КУРСУ

Ч*тение, как и любой другой процесс, совершенствуется, и это совершенствование закрепляется (навыки не теряются со временем) только в том случае, когда оно используется на практике регулярно и не только по завершении совершенствования, но уже в период совершенствования. Учитывая это, вам предлагается ежедневно в течение всего курса овладения навыками рационального чтения читать как можно больше, отмечая в приведенной ниже таблице,* **что** *вы читали и* **как много***.*

Это задание следует выполнять ежедневно в течение всего времени занятий по курсу рационального чтения. Проставляйте время чтения в минутах ежедневно или знаки «+» либо «—» в конце каждой недели.

недели занятий:		1-я неделя							2-я неделя						
дни недели:		1	2	3	4	5	6	7	1	2	3	4	5	6	7
Регулярное чтение: ежедневно читал (ла) по.......мин.	г														
	ж														
	с														
	х														
	д														
	п														
Нерегулярное чтение: «+» — читал(ла) иногда «–» — не читал(ла) вообще	г														
	ж														
	с														
	х														
	д														
	п														

где: г — газеты, ж — журналы, с — специальная (учебная или научная) литература, х — художественная литература, д — деловые бумаги, п — прочая литература.

Примечание: оценивайте только чистое время сплошного чтения без учета времени на поиск текстов и времени на осмысление содержания.

	3-я неделя							4-я неделя							5-я неделя						
г	1	2	3	4	5	6	7	1	2	3	4	5	6	7	1	2	3	4	5	6	7
ж																					
с																					
х																					
д																					
п																					
г																					
ж																					
с																					
х																					
д																					
п																					

	6-я неделя							7-я неделя							8-я неделя						
г	1	2	3	4	5	6	7	1	2	3	4	5	6	7	1	2	3	4	5	6	7
ж																					
с																					
х																					
д																					
п																					
г																					
ж																					
с																					
х																					
д																					
п																					

	9-я неделя							10-я неделя							11-я неделя						
г	1	2	3	4	5	6	7	1	2	3	4	5	6	7	1	2	3	4	5	6	7
ж																					
с																					
х																					
д																					
п																					
г																					
ж																					
с																					
х																					
д																					
п																					

г	12-я неделя							13-я неделя							14-я неделя						
	1	2	3	4	5	6	7	1	2	3	4	5	6	7	1	2	3	4	5	6	7
ж																					
с																					
х																					
д																					
п																					
г																					
ж																					
с																					
х																					
д																					
п																					

В конце каждой недели подводите итог своей работы. Не забывайте похвалить себя.

Успехов вам!

НЕДОСТАТКИ ТРАДИЦИОННОГО ЧТЕНИЯ

Для того чтобы стать профессиональным читателем, нужно овладеть профессиональной культурой чтения. Культура чтения совершенствуется в процессе учебы или работы, во время отдыха. Совершенствование культуры чтения происходит спонтанно и зависит от многих факторов. Одни факторы (например, уверенность в своих читательских способностях, высокая работоспособность и т.п.) могут положительно влиять на продуктивность чтения. Другие (например, плохо развитое внимание), напротив, мешают читателю. Рассмотрим некоторые из них.

ВНЕШНИЕ ШУМЫ

Некоторых читателей внешние шумы отвлекают от чтения: они раздражают или, наоборот, увлекают до такой степени, что книга порой откладывается в сторону. С особенным удовольствием некоторые читатели переключают свое внимание от книги даже при незначительном шуме, если содержание книги не интересно. Плохо не то, что содержание прочитанного не усвоится, а то, что, отвлекаясь на внешние шумы регулярно, читатель привыкает к работе с расслабленным вниманием, воспитывает в себе невнимательность.

Для того чтобы слышать и не прислушиваться к шумам, нужно научиться не оценивать шумовые помехи, не осмысливать их. Как этому научиться? Ознакомьтесь со стандартной ситуацией, в которой, возможно, оказывались неоднократно и вы. Если вы выходили из нее так, как это описано, то вы способны легко научиться игнорировать шумы во время чтения!

Шум за стеной отвлекает читателя, он уже не может сосредоточиться на содержании книги. Читатель откладывает книгу на пару минут и включает телевизор. Интересная передача отвлекает его от мешавших недавно шумов. Раздражение сменяется приятным состоянием. И теперь, выключив телевизор через пару минут отдыха, читатель опять принимается за книгу. И уже шумы за стенкой не отвлекают его, ведь состояние раздраженности исчезло! На несколько минут неприятное ощущение было заменено приятным. Временное переключение внимания отгородило читателя от воздействия шума.

Методом, позволяющим научиться надежно отключаться от посторонних шумов во время чтения, является «Метод теннисного шарика» — МТШ. Этот метод основан на принципе двойного переключения внимания – внимание, которое было вынуждено переключиться с книги на шумы, на несколько секунд переключается на осмысление промежуточного состояния и тут же перебрасывается на осмысление содержания книги. А происходит это следующим образом: как только при чтении возникают внешние шумы и часть внимания читателя начинает на них отвлекаться, в воображении натренированного МТШ читателя автоматически появляется образ скафандра вокруг головы, а источник шума начинает представляться в виде источ-

ника теннисных шариков. Практически невесомые теннисные шарики медленно подлетают к скафандру, ударяются о него и отлетают, растворяясь в бесконечности. Промежуточный «спектакль» с теннисными шариками автоматически заканчивается через 1—3 секунды, и внимание опять направлено на осмысление содержания книги.

ПРОДОЛЖИТЕЛЬНОСТЬ ЧТЕНИЯ

Внимание человека не может быть предельно высоким долгое время. Утомляясь, читатель не может полноценно воспринимать текст. Как правило, утомление наступает через 15—20 минут после начала работы со сложной книгой, и далее работа продолжается с пониженным уровнем внимания. Привычка работать с невысоким уровнем внимания может закрепиться. В итоге читатель будет всегда читать с более низким уровнем внимания, чем тем, которым одарила его природа.

Эксперименты показывают, что в течение 8 часов чтения с одним круп-

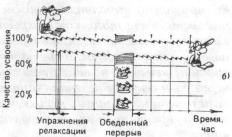

ным перерывом продуктивность осмысления снижается примерно в 1,5—2 раза (а). Если же читать с регулярными короткими перерывами по 1—2 минуты через каждые 15—20 минут чтения (б) и во время перерывов выполнять «Упражнения релаксации» — РЕЛАКС, продуктивность чтения снизится всего в 1,1—1,3 раза. При проведении таких перерывов с упражнениями за весь рабочий день читатель потратит всего минут десять, но все 8 часов будет работать с полной отдачей!

Выполняйте упражнения РЕЛАКС ежедневно. Тогда уже через две недели выработается привычка на проведение частого и активного отдыха.

Во время выполнения упражнений РЕЛАКС мысленно подытоживайте содержание прочитанного в течение последних 15—20 минут текста. Если регулярное подытоживание прочитанного войдет в вашу привычку, нет сомнений: ваша культура чтения повысится, и вы с удовольствием и дальше будете так работать.

УПРАЖНЕНИЯ РЕЛАКС

Комплекс упражнений РЕЛАКС рассчитан на снятие физического, а вслед за ним и психического утомления, возникающего во время чтения. Упражнения РЕЛАКС рекомендуется выполнять каждые 15—20 минут работы с текстом. Каждое упражнение выполняйте в одном из перерывов. Очередность упражнений значения не имеет.

*

Закройте глаза, положите на веки подушечки среднего и указательного пальцев, слегка придавите ими веки на 4—8 секунд, потом быстро уберите пальцы и откройте глаза. Вы правильно выполнили упражнение, если после того, как открыли глаза, вы будете продолжать видеть пелену, которая возникла при надавливании пальцами на веки. Буквально через доли секунды пелена исчезнет. Если пелена не возникла, то измените либо время, либо усилие надавливания.

*

Закройте глаза, в течение 0,5—2 минут пошлепайте по векам подушечками средних и указательных выпрямленных пальцев попеременно то одним, то другим.

*

Сядьте на край стула. Ноги поставьте перпендикулярно полу. Руки на весу. Не разгибая ног, приподнимите их над полом на 2—3 см. Медленно вытяните ноги вперед, разогните колени, не касаясь пола. Чем медленнее вы это выполните, тем лучше. Корпус тела при этом слегка отклоняется назад. Потом так же медленно согните ноги в коленях и поставьте на пол.

*

Откиньтесь на спинку стула, закройте глаза и представьте фон, однородно окрашенный в один из тех цветов, которые вам нравятся.

*

Потянитесь так, словно вы растягиваете ручки эспандера. Это упражнение надо выполнять, задержав дыхание. «Растягивая» воображаемый эспандер, вы одними мышцами рук старайтесь разводить руки, а другими мышцами рук старайтесь сопротивляться усилиям первых мышц. Продолжая «растягивать эспандер», внезапно перестаньте сопротивляться сжимающей силе воображаемого эспандера, и ваши руки резко захлопнутся.

Первые два упражнения предложенного комплекса релаксации нужны для того, чтобы снять напряжение мышц глаз. Третье упражнение поможет расслабить мышцы всего корпуса. Оно по своей эффективности равносильно пешеходной прогулке в течение примерно 5—15 минут, особенно если выполнять его при открытой форточке.

Четвертое упражнение очень трудное. Сразу оно не будет выполняться эффективно, но путем тренировок вы все же добьетесь положительных результатов. Желательно выполнять упражнение в завершение какой-то умственной работы. Вы отдохнете, повысите свой тонус, любимый цвет будет тонизировать и дальнейшее ваше чтение. Пятое упражнение поможет расслабить мышцы рук, груди и спины.

ПОЛЕ ВОСПРИЯТИЯ

На продуктивность чтения существенно влияет расширение поля восприятия читаемой информации. Поле восприятия является частью поля зрения. Поле восприятия — это объем информации, который мы успеваем осмыслить за одну остановку — «фиксацию» взгляда. Читатели, не владеющие навыками рационального чтения, за каждую фиксацию «схватывают» по одному слову из текста. В редких случаях читатели за одну фиксацию успевают считать из текста по два слова, если слова оказываются короткими и простыми. Читатели, владеющие навыками рационального чтения, за каждую фиксацию усваивают по три-восемь слов. При этом каждый зафиксированный взгляд задерживается на словах примерно одно и то же время (из расчета несколько слов за одну секунду) независимо от того, сколько и какие слова усваиваются за каждую фиксацию. Отсюда следует простой вывод: если читатель, затрачивавший на чтение текста из 1000 слов от 5 до 10 минут, расширит свое поле восприятия в 3 раза, то и на чтение такого текста он станет затрачивать времени в 3 раза меньше.

Масштабы поля восприятия влияют и на качество усвоения текстов. Если взгляд читателя фиксируется на каждом слове, то смысл предложения складывается из понимания значений отдельных слов и их взаимосвязи. Если же взгляд при каждой фиксации на тексте будет «выхватывать» из текста группы осмысленных слов (что произойдет в результате расширения поля восприятия), то читатель, освободивший свой мозг от необходимости работы с большим числом мелких операций, направит свои усилия на углубленное осмысление крупных смысловых блоков и, таким образом, лучше поймет и запомнит текст.

Для отработки навыков чтения смысловыми блоками, понятиями, а не словами используйте Метод ритмичных фиксаций взгляда (МРФ).

МЕТОД РИТМИЧНЫХ ФИКСАЦИЙ

Метод основан на принудительном делении строки на смысловые блоки и ритмичном перемещении взгляда. Он поможет вам расширить поле восприятия, оттеснить проговаривание и добиться значительного повышения скорости чтения.

Представьте себе, что вы рассматриваете комиксы или другие рассказы в картинках. Ваш взгляд при этом последовательно останавливается на каждой картинке, рассматривая их разное количество времени. Если вы будете просматривать такие картинки, фиксируя взгляд в течение одинаковых интервалов времени, то качество усвоения информации отчасти снизится. Но, потренировавшись некоторое время, вы сможете привыкнуть к такому режиму просматривания, т.е. научитесь просматривать рисунки методом ритмичных фиксаций.

Можно вообразить, что эти рисунки выражены некими известными вам образами-знаками. После длительной тренировки вы и эти знаки научитесь просматривать, хотя понимание рассказа в этом случае будет затруднено.

Если же смысл рисунка будет закодирован в знаки-слова, то вы будете вынуждены улавливать содержание понятиями, смысловыми блоками. Произойдет это таким образом: бросая взгляд на одно-два слова, вы мгновенно раскодируете их одно за другим, выстраивая в понятия, затем перейдете к следующей картинке и т.д.

А что, если научиться просматривать большие группы закодированных знаков-слов и причем быстро? Оказывается, и это можно! Если читатель постарается просматривать слова текста немного быстрее, чем это для него привычно, то он уже не будет успевать озвучивать все просматриваемые слова. Очевидно, что качество усвоения содержания при этом несколько снизится. Но, как показывает практика, через несколько дней тренировки качество понимания текста, прочитываемого ритмичными фиксациями, постепенно начнет восстанавливаться. Но к этому времени сформируется новая установка, текст будет усваиваться большими группами слов.

Организовать ритмичное перемещение взгляда вам поможет использование ритмичной музыки, ударов метронома, внутреннего счета т.д. Содержание текста будет выстраиваться из понятий, схватываемых при кратковременной фиксации взгляда на словосочетаниях. Количество фиксаций взгляда на строке, места фиксаций и время между фиксациями будут подбираться произвольно в зависимости от степени сложности текста и ширины колонки.

УПРАЖНЕНИЕ 1 *Приготовьте текст с неширокими колонками и источник звучащего ритма (метроном, ритмичную музыку или запишите стук на магнитофон).*

На каждый удар звучащего ритма бросайте взгляд на начало, середину и конец каждой строки. Пытайтесь за каждую фиксацию взгляда охватывать как можно больше слов и при этом не забывайте осмысливать содержание текста. Перебрасывайте взгляд на каждый удар звучащего ритма.

Количество фиксаций взгляда зависит от ширины колонки текста и от сложности текста. Например, если строчка содержит до 30 знаков (букв), то взгляд желательно фикси-

ровать дважды. Места фиксаций определяются произвольно. Постепенно старайтесь уменьшать число фиксаций и увеличивать ритм.

Уже через неделю занятий благодаря выполнению упражнения ваше поле восприятия расширится, при каждой фиксации взгляда одно поле восприятия текста станет перекрывать другое, а оно, в свою очередь, перекроется третьим полем восприятия.

Вот так будете читать тексты с узкими колонками (например, тексты из газет, журналов) в первые дни выполнения упражнения – чтения методом ритмических фиксаций. Обратите внимание, что части текста читатель не способен усвоить. В этом нет ничего страшного. Качество усвоения будет низким. Потерпите. Со временем качество усвоения постепенно начнет улучшаться. За счет чего? За счет того, что поле восприятия постепенно начнет увеличиваться и читатель за каждую фиксацию будет усваивать все большие смысловые блоки.

а

Это произойдет примерно через неделю ежедневных упорных тренировок. Обратите внимание на то, что овалы выросли. И уже неусвоенных полей текста становится все меньше и меньше. Да и привычка читать и пытаться домысливать тоже будет

б

становиться все крепче и крепче.

А это означает, что активизируется мышление во время чтения. Это еще одно положительное качество, которое формируется во время выполнения упражнения — чтение методом ритмических фиксаций.

в

А так читатель будет читать через две недели выполнения упражнения – чтение методом

где: а, б — в начале выполнения упражнения; в, г — через неделю.

г

ритмических фиксаций.

Здесь уже поля фиксаций стали настолько широкими, что читатель позволяет себе делать не по две фиксации на каждой строчке, а по одной фиксации на каждой строчке. При этом качество усвоения опять немного снизится, но читатель уже знает, что, поработав еще какое-то время, он восстановит качество усвоения.

После того как вы научитесь за 3 фиксации прочитывать всю строку текста с широкими колонками, можете переходить к чтению с меньшим количеством фиксаций взгляда. А еще через 2—3 недели вы сможете усваивать текст, набранный узкими колонками, всего лишь за одну фиксацию взгляда, а набранный более широкими колонками — за 2 фиксации вместо 3, не снижая качества усвоения текста. Информация при этом будет прочитываться в более быстром темпе.

На первых порах текст может усваиваться лишь на 20—30%. После усердных занятий к концу первой недели коэффициент усвоения может вырасти до 40—50%.

МЕТОД РИТМИЧНЫХ СКОЛЬЖЕНИЙ ВЗГЛЯДА

Для расширения поля восприятия, для оттеснения артикулирования и увеличения тем самым скорости чтения предлагается метод ритмичных скольжений взгляда (МРС). Как и метод ритмичных фиксаций взгляда (МРФ), он тоже основан на увеличении скорости перемещения взгляда по строкам, но увеличение скорости чтения будет достигнуто несколько иным способом.

Метод ритмичных скольжений также предполагает, что читатель путем тренировок выработает навыки чтения понятиями вместо озвученных слов. В ходе тренировок вы расширите и поле восприятия текста. Тексты для отработки метода ритмичных скольжений взгляда не должны быть сложны для понимания, желательно, чтобы они не содержали прямую речь.

При отработке МРС также используются звучащие ритмы: звучащий или молчаливый счет, либо удары метронома, либо музыкальные ритмы.

УПРАЖНЕНИЕ 2 *На первый удар ритма фиксируйте взгляд на начале строки, старайтесь охватить взглядом как можно больший кусок. На второй удар проскользите взглядом вдоль строки до конца. Без перерыва, вновь под удар ритма, взгляд фиксируется на начале следующей строки и т.д.*

Не обращайте внимания ни на переносы слов, ни на знаки препинания.

Думайте только над содержанием текста.

Очень эффективно чтение МРС проводится под музыкальные ритмы

с первой ударной долей, а второй — безударной.

После 2—3 недель занятий вы начнете использовать МРФ и МРС не только для тренировки, но и для повседневного чтения, поскольку работать этими методами с текстом нередко будет доставлять вам удовольствие, особенно при чтении легких для восприятия текстов с большим эмоциональным воздействием.

МЕТОД ФОРСИРОВАНИЯ СКОРОСТИ ЧТЕНИЯ

Метод форсирования скорости чтения преследует цель — выработку привычки усваивать текст при первом прочтении. Вы, наверное, замечали, что иногда во время чтения мысли перескакивают совершенно в иное русло и чтение превращается в механическое перемещение взгляда. Прочитав абзац или даже целую страницу, вдруг вы обнаруживаете, что думаете совсем не о содержании текста. Приходится перечитывать пропущенную информацию. Чтение МФС позволит вам устранить эту привычку. Вы всегда будете читать только внимательно.

В основе метода форсирования

скорости чтения лежит также принцип поторапливания, подстегивания себя при чтении, принуждение себя читать быстрее, чем обычно. При этом вы не сможете проговаривать полностью текст, как прежде, и будете постепенно вырабатывать в себе привычку читать без проговаривания или с частичным проговариванием, что значительно увеличит скорость чтения.

УПРАЖНЕНИЕ 3 *Для чтения методом форсирования скорости используйте легкие для восприятия тексты, т.к. в ходе работы качество усвоения текста снизится. Желательно читать тексты, набранные колонками шириной в 30—45 знаков. Такие тексты часто встречаются на страницах газет и журналов.*

Приготовьте лист плотной бумаги размером 100x200 мм.

Читайте текст и закрывайте этим листом одну за другой прочитанные строки, ведя лист рукой по странице сверху вниз. Передвигайте лист бумаги чуть быстрее, чем вы

можете прочитать текст, т.е. так, чтобы каждый раз, читая очередную строку, вы не успевали бы прочитывать в ней последние 2—3 слова.

Интенсивность обмена веществ, в свою очередь, зависит от размеров животного, его массы. С уменьшением размеров тела интенсивность обмена у животных на единицу массы стремительно возрастает.

И здесь мы подходим к конечному пункту наших рассуждений об энергетике животных. А что, если начать искать кандидатов на одомашнивание не среди зверей и птиц с высоким обменом (но зато и большими размерами, что это преимущество как бы ликвидирует), а среди живых существ.

Изредка меняйте положение шторки: если прежде вы вели ее сверху вниз, закрывая прочитанный текст, то теперь открывайте шторкой еще не прочитанную часть текста, ведя шторку тоже сверху вниз, но,

открывая новые строки текста быстрее, чем вы дочитали бы до конца строки, вынуждая себя перескакивать, не дочитав, на следующую, только что открытую шторкой строку.

Мелкие размеры обеспечивают высокую интенсивность биологических процессов у инфузорий, коловраток и низших рачков, в том числе их быстрый рост. И вместо 5—6 поколений бройлеров в год, чем мы сейчас гордимся, можно будет получить за это время многие десятки поколений.

Качество усвоения материала при таком чтении будет невысоким. Оно снизится из-за того, что вы будете вынуждены отвлекаться от текста на поддержание такой скорости перемещения листа, которая будет выше скорости перемещения взгляда от строки к строке. Но через 1—2 дня выполнения упражнения вы перестанете отвлекаться на перемещение шторки.

Здесь речь идет только о непродуктивных возвратах. Если же вам нужно перечитать текст или часть текста для более глубокого понимания, для установления связи предшествующего с последующим, то такой возврат к прочитанному допускается и желателен.

ПРОГОВАРИВАНИЕ

Обычно во время чтения практически все слова проговариваются. Одни из читателей произносят текст шепотом, другие проговаривают его про себя, но шевелят при этом губами, большинство не используют внешнюю мимику. При этом многие читатели уверены в том, что вовсе не проговаривают текст при чтении. И напрасно. Специальными приборами, различными способами доказывается наличие у читателей артикулирования, внутреннего проговаривания текста. Во время такого «немого» чтения мышцы гортани работают так же, как и при чтении вслух.

Обработка информации на этапе овладения навыками чтения происходит следующим образом: читатель видит текст, читает вслух, прослушивает себя, усваивает содержание. В результате вырабатывается психическая установка: понять текст можно только при его прослушивании, а для этого нужно его проговорить, произнося вслух или про себя. Эта установка приводит к тому, что в процесс чтения вовлекаются и зрительные органы, и речевые органы. Такое чтение с проговариванием можно условно описать режимом:

УВИДЕЛ → ПРОГОВОРИЛ → УСЛЫШАЛ → ПОНЯЛ

Как показывают исследования психологов, чтение, а вернее, понимание текста неразрывно связано с проговариванием. Воспринимать текст иначе как с подключением мышц, отвечающих за говорение, нельзя. Поэтому полное подавление артикуляции невозможно, возможно лишь оттеснение. В итоге скорость чтения или, можно сказать, понимания ограничивается скоростью проговаривания, т.е. проговаривание тормозит чтение. Возможен выход из этой ситуации при иной схеме восприятия текста. Рациональный способ чтения, при котором мышцы гортани и языка, отвечающие за произношение, не принимают участия, может быть условно описан режимом:

УВИДЕЛ ⟶ ПОНЯЛ

При таком чтении в мозг передается не звучание слова, а его зрительный образ в виде изображения. Такой способ обработки информации нам известен: так мы воспринимаем любую зрительную информацию.

Перед вами встает задача путем длительных тренировок научиться переходить при чтении из режима 1 в режим 2, т.е., в основном отказавшись от артикулирования при чтении, перейти к чтению понятиями, смысловыми блоками.

Оттеснить проговаривание можно следующими способами:

— принудительно увеличивать скорость чтения до такой степени, чтобы вы практически не успевали проговаривать текст;

— расширять поле восприятия так, чтобы вы не успевали бы проговаривать все слова, схватываемые каждой фиксацией взгляда;

— создавать помехи проговариванию;

— сформировать психическую установку на безартикуляционное чтение.

МЕТОД ПРИНУДИТЕЛЬНОГО АРТИКУЛИРОВАНИЯ

Предлагается еще один метод оттеснения проговаривания во время чтения — метод принудительного артикулирования (МПА). Он основан на создании помех проговариванию во время чтения. Суть метода заключается в сознательной принудительной замене активного артикулирования пассивным.

В процессе чтения вместо проговаривания написанного текста, т.е. активного артикулирования, наряду с осмыслением текста, произносится какой-либо текст или какие-либо слова, т.е. производится пассивное проговаривание. Вы занимаете мышцы гортани и языка проговариванием не того текста, который вы в это время читаете глазами, а другого. В этом случае вы уже не будете связывать смысл того, что вы произносите, с тем, что читаете. Можно, например, напевать песню, над словами которой не надо задумываться, произносить считалочку, считать слова в читаемых предложениях. Давайте остановимся на последнем.

Предлагается во время чтения текста производить приблизительный подсчет слов в читаемых предложениях. Подсчет проводить без осмысления ряда чисел, то есть пассивно.

Заменив активное артикулирование пассивным, вы практически заставите мозг воспринимать лишь те понятия, которые будут идти по зрительному каналу.

Главное достоинство метода принудительного артикулирования в том, что читаемый текст осмысливается, обрабатывается мозгом без сплошного озвучивания читаемых слов, в результате чего вырабатывается психическая установка (привычка) на чтение без сплошного артикулирования.

Метод принудительного артикулирования имеет и недостаток: мозг, кроме основной функции — смысловой обработки поступающей от зрительного канала информации, выполняет и побочную — контролирует, хотя и минимально, подсчет слов, снижая восприятие текста, по сравнению с потенциальным.

УПРАЖНЕНИЕ 4 *Читайте тексты, одновременно подсчитывая про себя количество слов, которые вы прочитали.*

Читать старайтесь иначе, чем обычно: посмотрите на слово, уясните его смысл и мысленно произнесите число.

Читать нужно с максимально возможной скоростью, но так, чтобы текст был усвоен не меньше чем на 50%. Можно считать не все слова в предложениях. Союзы, предлоги, частицы и другие короткие слова не считайте. Можно даже не подсчитывать и те слова, которым вы просто не успели присвоить порядковый номер. Но считайте непременно про себя и четко, ясно, без пауз: «Одиндватричетыре...».

Если вам нужно произнести коротко звучащую цифру (например, «три»), а в это время вы читаете длинное слово (например, «машиностроение»), то можно прочитать его, проговаривая про себя «три-четыре», т.е. продолжая счет. Но иногда под проговаривание длинного номера (например, «двадцать четыре») вам надо просмотреть короткое слово (например, «он»). В этом случае под этим номером вместе с коротким словом просмотрите и следующее слово.

Счет ведите до 30. Дойдя до 30, начинайте без перерыва считать заново.

При чтении методом принудительного артикулирования необходимо достичь максимального усвоения читаемого при непрерывной работе мышцы гортани и языка, беззвучно проговаривающих числа.

Пример: Одииииндваааатрииииииииииииичетырепяааааатьшесть **Первые плоды от проникновения людей за пределы Земли** сеэээээээмьвосемьдеэээвятьдесятьодиниииииииинадцать **достались науке. Геологи теперь не ограничиваются** двенаааааадцатьтринадцатьчетырнадцать......... **исследованием лишь одной Земли, ...** ....двадцатьдевять ....**астрофизические** тридцатьраааааааздвааааааааааатрииииииииичетыыыре...... **явления в глубинах мироздания с помощью приборов,.....**

ТЕЗАУРУС

Для расширения поля восприятия и повышения эффективности оттеснения артикуляции можно предложить еще один метод — метод стереотипизации слов и выражений.

У каждого читателя есть определенный круг чтения. Круг включает тексты по конкретным предметам из конкретных тем. Темы описываются и раскрываются с использованием ограниченного числа ЧАСТО ВСТРЕЧАЮЩИХСЯ ЗНАЧИМЫХ СЛОВ И СЛОВОСОЧЕТАНИЙ. Давайте такие наборы слов и словосочетаний для каждой конкретной тематической области будем называть ТЕЗАУРУСАМИ, если слова и словосочетания из тезауруса удовлетворяют следующим требованиям:

1. Часто[1] встречаются в текстах по данной тематической области данного предмета (например, по теме «Кислоты» из предмета «Химия»);

2. Являются значащими, важными для понимания фразы, мысли или целиком всего текста (обозначающими существенные для понимания темы предметы, явления, события, действия, их качество или количество);

3. Определение их значений или понятий не противоречит основным положениям данной тематической области данного предмета;

и если каждому слову и словосочетанию наборов поставлены в соответствие:

— конкретный образ[2] (с ограниченным числом элементов образа, частей предметов, этапов действий и т.п.);

— ощущения (если они есть), связанные со словом и словосочетанием;

— чувства (если они есть), ассоциирующие со словом или словосочетанием.

Задача метода стереотипизации слов и словосочетаний — сделать все слова и словосочетания тезауруса, часто встречающиеся в текстах, а также их графические начертания легко узнаваемыми. В этом случае, встретив таких знакомцев в тексте, вы с легкостью их узнаете и извлечете из памяти значение и понятие без детального их проговаривания. Для вас буквенное начертание слова будет всего лишь условным знаком, при одном взгляде на который вы легко представите себе то понятие или значение, какое за ним стоит. Более того, вы будете легче схватывать за каждую фиксацию все больше и больше слов. Такое чтение станет схожим с чтением иероглифов, или с чтением географических карт, или с чтением формул, когда, бросив один взгляд,

---

[1] Понятие «частотности» относительно. Можно лишь условно называть слова или словосочетание встречающимися часто, если они в этом же значении (с этим же понятием) появляются в одном тексте (параграфе, части, глава, книге) два или более раз.

[2] Конкретный образ — для конкретного случая, конкретного контекста. Если в разных контекстах слово имеет различное значение или понятие, то должны быть и различные образы.

читатель иероглифа (географического знака, формулы) мгновенно извлекает из памяти целостное значение или понятие.

Статистика показывает, что количество часто встречающихся и значимых слов и словосочетаний в различных областях знаний колеблется от 2—3 тысяч до 6—8 тысяч единиц (в редких случаях — до 10—12 тысяч). Следовательно, напрашивается очевидный вывод: желательно для каждой области знаний, по которой вам приходится читать много текстов, сформировать в памяти запасы слов и словосочетаний и каждое слово из этого запаса сделать СТЕРЕОТИПНЫМ, т.е. легко узнаваемым визуально (даже боковым полем видения) и легко узнаваемым по смыслу, а затем научиться предугадывать их в тексте. Практика подтверждает этот вывод: достаточно научиться быстро и точно узнавать слова и словосочетания, как скорость чтения резко возрастает без потери в качестве усвоения.

Чем больше вы будете тренироваться на быстрое и точное узнавание, тем большее число слов вы будете схватывать за каждую фиксацию и тем меньше будет необходимости в их проговаривании и, следовательно, тем легче вы станете читать тексты.

Исследования специалистов показали, что опытный читатель, предугадывая смыслы еще не прочитанных частей текста (фраз, частей фраз), мысленно перебирает в уме слова, с помощью которых можно было бы выразить предугаданный смысл, и на-

чинает представлять образы этих слов (образ графических начертаний слов). При появлении напечатанного в тексте слова в поле ясного видения читатель совмещает мысленный образ (который он извлек из памяти) с образом зрительно воспринятого слова (как бы говоря себе: «Ага, я правильно (или неправильно) угадал слово») и переходит к следующему. Поэтому можно сформулировать еще две задачи метода стереотипизации слов и словосочетаний:

— расширение возможностей мысленного прогнозирования через расширение читательского лексикона (просто расширение лексикона не имеет смысла);

— повышение качества усвоения содержания текстов через непосредственное улучшение понимания и через повышение уверенности в хорошем усвоении.

УПРАЖНЕНИЕ 5 *Читая тексты по своей специальности или по учебным дисциплинам, выписывайте в заведенный вами словарь часто встречающиеся значимые слова и словосочетания. Работайте со словарем следующим образом: посмотрите на слово или словосочетание, вспомните его значение или понятие, стоящее за словом или словосочетанием, представьте себе образ, соответствующий данному значению или смыслу, вспомните ощущения или чувства, соответствующие данному значению или смыслу.*

На следующий день быстро повторите прежние слова, а с вновь выписанными поработайте так же тщательно, как и с предыдущими. Создавайте словарь в тетради и тезаурус в вашей голове до тех пор, пока по каждой предметной области не наберете по несколько тысяч слов и словосочетаний.

Пользуясь методом стереотипизации слов и словосочетаний, вы научитесь воспринимать тексты целостными понятиями и крупными образами, сопровождая чтение чувствами и ощущениями, что само по себе ускорит процесс чтения, разовьет ваше воображение, активизирует память и мышление, будет способствовать оттеснению проговаривания при чтении, расширит поле восприятия.

УПРАЖНЕНИЕ 6 *Прочитайте слово (словосочетание) из вашего словаря и как можно быстрее составьте смысловое предложение с использованием этого слова. Перейдите к следующему слову.*

УПРАЖНЕНИЕ 7 *Вспомните слово (словосочетание) из вашего предметного тезауруса и как можно быстрее составьте смысловое предложение с использованием этого слова. Вспомните следующее слово или словосочетание из тезауруса. И т.д.*

УПРАЖНЕНИЕ 8 *Вспомните из вашего предметного тезауруса наугад любое слово (словосочетание) и составьте с ним смысловое предложение. Теперь как можно быстрее вспомните такое слово (словосочетание), чтобы с помощью него вам*

удалось построить предложение, продолжающее по смыслу первое предложение.

УПРАЖНЕНИЕ 9 *Прочитайте слово из словаря и, если можно, как можно быстрее вспомните синоним или антоним к нему. Перейдите к следующему.*

УПРАЖНЕНИЕ 10 *Прочитайте слово из тезауруса и как можно быстрее найдите однокоренное слово к нему (если можно). Перейдите к следующему.*

Чтобы научиться читать тексты, не вчитываясь в каждое слово и в каждую букву, активно предугадывая смысл непрочитанных слов, предлагается еще одно довольно забавное упражнение. Выполняйте его во время чтения любых текстов.

УПРАЖНЕНИЕ 11 *В течение 5 секунд смотрите на спираль горящей лампочки, затем переведите взгляд на текст и в течение 25 секунд читайте его. Из-за эффекта «послесвечения» вы не сможете видеть слова, на которых будет фиксироваться ваш взгляд: слова будут заслоняться образом увиденной спирали. Слова, находящиеся слева и справа, вы будете легко прочитывать. Для понимания текста их будет достаточно.*

Примерно через 25 секунд образ спирали исчезнет. Посмотрите еще раз на спираль горящей лампочки и продолжайте чтение.

РАЗУМНАЯ ТОРОПЛИВОСТЬ И ОЩУЩЕНИЕ ВРЕМЕНИ

*О*дним из элементов культуры чтения является ВНУТРЕННЯЯ ПОТРЕБНОСТЬ выполнять все умственные действия во время чтения как можно быстрее. Эта потребность при частой реализации на практике постепенно ФОРМИРУЕТ НОВУЮ ЧЕРТУ ХАРАКТЕРА — РАЗУМНУЮ ТОРОПЛИВОСТЬ.

УПРАЖНЕНИЕ 12 *Приготовьте большой текст научно-популярного жанра (без формул, рисунков, прямой речи и пр.). Начните читать текст с максимально возможным качеством усвоения. Читайте в ровном темпе. Примерно через 2—3 минуты после начала чтения отмерьте часть текста, которую вы успеваете прочитать за 0,5 минуты. Далее разметьте на следующих страницах текста 8 частей этого объема.*

Засеките время, прочитайте следующую часть в том же темпе. Во время чтения старайтесь ОЦЕНИВАТЬ ИНТЕРВАЛ ВРЕМЕНИ в 0,5 минуты. Читаемый текст нужно усваивать с максимально возможным качеством. Закончив чтение отрезка, посмотрите на часы, оцените, насколько вы оказались точны, и с учетом ошибки постарайтесь прочитать следующий отрезок за более точное время. И так далее все 8 отрезков текста.

Через 2—3 дня вернитесь к этим же отрезкам и попытайтесь прочитать их парами за 0,5 минуты каждую пару. Вы должны будете прочитать четыре пары за 2 минуты.

Еще через 2—3 дня попытайтесь прочитать эти же тексты группами по 4 отрезка за 0,5 минуты каждую группу. И, наконец, еще через пару дней прочитайте весь объем (почти выученные наизусть 8 частей текста) за 1 минуту.

ПСИХИЧЕСКАЯ УТОМЛЯЕМОСТЬ

*П*сихическое утомление при работе с книгой наступает в двух случаях: либо это следствие физического недомогания, утомления, возникшего, например, от долгого пребывания в неудобной, напряженной позе, или просто устали глаза. Психическое утомление наступает очень быстро и при работе со скучным текстом. Очень часто возникают такие ситуации, когда необходимо прочитать и усвоить статью, конспект или книгу, но не хочется, потому что этот материал совершенно не интересен для вас. Часто вы предчувствуете скуку из-за неуверенности в достаточно хорошем усвоении содержания текста. Это может происходить тогда, когда вы приступаете к изучению нового материала. Нет желания утруждать себя, и вы находите тысячи причин, чтобы прервать чтение, заняться чем-то другим, и очень рады тому, что есть возможность не читать.

Умение психологически перестроиться, возбудить в себе живой интерес даже к тому, что поначалу не интересовало, казалось скучным, работать продуктивно над любым текстом — это элемент высокой культуры чтения, которая воспитывается и закрепляется длительной практикой.

За период обучения рациональным методам работы с книгой вы овладеете приемами профилактики психического утомления в процессе чтения.

УПРАЖНЕНИЕ 13 *Приготовьте большой и очень неинтересный, но очень нужный текст. Выделите в нем объем, который вы можете прочитать за 1 час.*

За 15—20 минут прочитайте первую треть выделенного текста. Сделайте минутный перерыв, во время которого переосмыслите содержание прочитанного и постарайтесь *выделить в прочитанном интересные мысли или факты. Выполните упражнение РЕЛАКС.*

Следующие 15—20 минут посвятите чтению второй части текста. За минуту следующего перерыва переосмыслите содержание прочитанной части, выделите наиболее интересное. Затем установите смысловые связи между первой и второй частями текста, еще раз сделав акценты на интересных моментах прочитанных двух частей текста. Выполните еще одно упражнение РЕЛАКС.

Последние 15—20 минут времени посвятите прочтению последней части. Теперь после переосмысления прочитанной части свяжите по смыслу три блока текста и вспомните все самое интересное во всем прочитанном. Сделайте вывод о том, что даже в самом неинтересном тексте можно найти интересное!

ПОДГОТОВКА К ВОСПРИЯТИЮ

Мы выяснили, что для эффективного запоминания нужно создать определенные условия, при которых активизируются физико-химические и психические процессы в мозгу.

Начальным этапом процесса запоминания является этап ПСИХОЛОГИЧЕСКОЙ ПОДГОТОВКИ к чтению текста. Он называется начальным, потому что стоящие перед читателем задачи выполняются до начала чтения, т.е. до начала непосредственного восприятия текста.

Непосвященный читатель, приступая к чтению, тоже проводит подготовку к чтению, психологически настраивается на восприятие текста, но делает это подсознательно и бессистемно, неполно. Многие читатели даже не предполагают, что для качественного чтения требуется определенный психологический настрой. А уж о том, что этот настрой можно вызвать в себе искусственно, путем тренировок, не задумывается почти никто!

Наша задача — научиться перед началом чтения регулярно проводить психологическую подготовку сознательно и грамотно, ввести в культуру чтения новый элемент, совершенствующий вас как профессионального читателя.

Психологическая подготовка начинается тогда, когда читатель впервые задумывается над какой-либо проблемой. Интерес к проблеме побуждает человека искать ответы на возникающие вопросы, отбирать необходимые книги и статьи для чтения. Такая работа очень важна: она приводит к пониманию, что нужно читать не все, что попадает в руки, а только то, что необходимо для конкретного решения определенных проблем. Это, в свою очередь, делает чтение целенаправленным. Читатель осознает, что ему нужно прочитать эту статью, чтобы узнать что-то новое по интересующей теме. Процесс чтения становится заинтересованным, активным. Читатель будет ставить перед собой вопросы и отвечать на них.

В процессе психологической подготовки к чтению вы научитесь ставить все более точные и глубокие вопросы и отвечать на них. Мыслительные процессы будут протекать активнее, быстрее и глубже. Вы будете постигать суть прочитанной информации, познавать важность и новизну тех или иных сведений для вас, для науки и практики.

Когда отобраны статьи и книги, необходимые для чтения, важно определить, за какой срок будет прочитан тот или иной материал. При этом ограничивайте себя во времени, ставьте перед собой задачу быстрее усвоить материал, чем вам это привычно. Это интенсифицирует вашу работу,

приучит к скоростному режиму восприятия и усвоения информации, что, как правило, очень нужно, ведь поток информации растет день ото дня, увеличивается многократно.

На этом этапе важно определить, на какой срок нужно будет запомнить содержание того или иного текста. Эта временная установка поможет сохранить в памяти текст до необходимого времени.

Следующий шаг психологической подготовки — осмысливание того, что вам уже известно по данной теме. Такое припоминание поможет связать уже имеющиеся знания с теми новыми, которые вы приобретете в процессе чтения. Известно, что такой способ работы с текстом активизирует внимание и память. Научитесь проводить психологическую подготовку всякий раз, когда вы приступаете к чтению. ПОСТОЯННОЕ ВЫПОЛНЕНИЕ этого требования постепенно выработает у вас автоматические навыки, во многом обеспечивающие успешное чтение.

Но не рассчитывайте, что этап психологической подготовки к чтению заканчивается, как только вы приступаете к восприятию текста. Напротив, он продолжается: вы готовитесь к восприятию последующей информации, размышляя над прочитанным и повторяя материал. Хотя на этом этапе значимость психологической подготовки по отношению к последующему чтению падает. Даже на этапе повторения вы, сознательно или пока еще бессознательно, проводите подготовку к дальнейшему восприятию данных на эту тему.

Этап психологической подготовки завершится в том случае, когда вы сделаете для себя вывод, что полученная информация нужна лишь до завтра, т.к. события изменятся или вам уже больше не понадобятся эти данные: вы их уже использовали либо они устарели.

Помните, что не всякий текст надо читать внимательно с целью запомнить его, иногда достаточно ограничиться беглым просмотром книги! Не читая, например, скандальные газетные публикации, мы освободим много времени для чтения художественных произведений, всемирной классической литературы.

Но если уж проблемы публикации интересуют вас или нужны для конкретного дела и вы решили прочитать этот текст и запомнить его, читайте дважды: первый раз — ПРОСМОТРОВЫМ ЧТЕНИЕМ, чтобы определить, действительно ли текст интересен, нужен для вас, на какое время и для какой цели он нужен, второй раз — для запоминания и глубокого усвоения.

Не всю информацию даже в важной книге нужно читать с одинаковым накалом внимания. Часто и при чтении литературы по специальности мы стремимся достичь невозможного, ставим перед собой невыполнимые задачи, разочаровываясь в себе при их некачественном выполнении. Не лучше ли наметить, что нужно прочитать, не запоминая, а на что обратить особое внимание, и уже эту небольшую информацию постараться запомнить на 100%. Это выполнимо! Это и есть рациональная обработка материала.

Практикой установлено, и вы, видимо, в этом не раз убеждались, что чтение проходит плодотворно и текст хорошо запоминается, если ОСОЗНАНА НЕОБХОДИМОСТЬ прочтения именно данного материала, продуктивность чтения СТИМУЛИРОВАНА, четко обозначена цель. В таких случаях ПОЯВЛЯЕТСЯ ИНТЕРЕС к чтению данной книги и заинтересованность в прочном усвоении содержания, а это гарантирует УСПЕХ.

Если регулярно проводить перед началом чтения психологическую подготовку, то это поможет выработать навыки продуктивной работы с текстом: он будет усваиваться активно, лучше запоминаться.

Психологическая подготовка к чтению органично входит составной частью в рассмотрение общей проблемы культуры чтения, поскольку, регулярно подготавливаясь, настраиваясь на чтение практически любого текста, вы уже сейчас закладываете надежный фундамент качественного восприятия текста и лучшего его запоминания.

В чем же заключается психологическая подготовка к чтению практически?

Если вы предвкушаете удовольствие от чтения любимой книги в удобном кресле, это уже своего рода подготовка к качественному чтению. Безусловно, здесь немаловажную роль играют объективные условия чтения (комфортное рабочее место, хорошее освещение, удобная поза, физическая бодрость и другие). Но речь сейчас пойдет о субъективной подготовке к восприятию читаемого. Например, если книга уже у вас в руках, то очень важно, хочется вам ее тут же прочитать или нет никакого желания сделать это, заставляете ли вы себя взяться за скучный предмет исследований, или этот предмет вдохновляет вас и вы приступаете к работе с удовольствием. При жгучем желании углубиться в чтение вы уже настраиваете себя на продуктивное восприятие текста. Но что делать в противном случае?

Практика показывает, что если читатель начинает работу над текстом, и при этом:

— ставит перед собой определенную цель,

— намечает пути достижения этой цели,

— осознает значимость предстоящей работы,

то чтение проходит с меньшими усилиями и чаще всего с большим интересом, если даже до начала этой работы тема предстоящего чтения казалась неинтересной. Интерес возникает потому, что чтение из пассивного процесса преобразуется в активную умственную деятельность.

Еще до того момента, как профессиональный читатель берет с полки книгу, с момента, когда он еще только задумался, что же ему следует прочитать, уже с этого момента начинается процесс психологической подготовки к предстоящему чтению:

— выбрав тему для чтения, квалифицированный читатель припоминает, что он уже прочитал по этой теме прежде;

— ставит перед собой конкретную задачу, например, что может реализовать конкретные знания, которые получит после чтения выбранной книги, в своем докладе на семинаре или конференции;

— рассчитывает, на какой срок понадобится полученная информация.

Результатом такой подготовительной работы будет активизация внимания при чтении, наилучшее усвоение и запоминание материала.

УПРАЖНЕНИЕ 14 *В течение недели постарайтесь чтение любого текста завершать формулировкой интересных мыслей, фактов, событий, усвоенных во время чтения.*

Известно, что качество усвоения содержания текста зависит от знаний читателя, от его интересов, убеждений, волевых качеств, типа темперамента и многого другого. Мы сейчас рассмотрим лишь то, что за очень короткое время перед чтением (буквально за несколько секунд) может быть изменено в пользу читателя, и то, что наилучшим образом может повлиять на повышение качества усвоения читаемого текста. Иначе говоря, проанализируем те действия, которые может совершить читатель перед чтением для того, чтобы чтение прошло максимально продуктивно.

На что нужно психологически настроиться перед началом чтения, чтобы чтение стало более продуктивным? Что нужно сделать, чтобы настроить свою психику на длительное и продуктивное чтение? Чтобы ответить на эти вопросы, в ШРЧ была проведена научно-исследовательская работа с участием читателей различных возрастов, читающих различную литературу с различными целями: от изучения учебной литературы для сдачи экзаменов через 6 месяцев, до проработки огромного количества научных текстов на двух языках для подготовки докторской диссертации за два года. То, что в результате проведенной работы всеми четырьмястами читателями были достигнуты поставленные ими цели (одними — за два года, другими — за полгода), говорит о правильности полученных нами ответов на поставленные вопросы.

После решения ОПТИМИЗАЦИОННОЙ ЗАДАЧИ из всех факторов, наиболее сильным образом влияющих на продуктивность чтения, мы оставили лишь три:

— ИНТЕРЕС (как к содержанию текста, так и процессу чтения);

— НАСТРОЕНИЕ (речь идет не только о положительных, но и об отрицательных эмоциях, связанных с отношением читателя к излагаемым в тексте фактам или к позиции автора);

— УВЕРЕННОСТЬ (в правильности или неправильности излагаемой в тексте информации, в полезности читаемого текста, в успешном проведении чтения).

Планомерную тренировку по формированию навыка психологической подготовки, как показали эксперименты, следует проводить в соответствии с полученной схемой психологической подготовки: вначале вы научитесь вызывать интерес, затем уверенность и, наконец, хорошее настроение.

Давайте рассмотрим каждый этап тренировки по отдельности.

ИНТЕРЕС

В процессе чтения интерес может возникать как к содержанию, так и к самому процессу чтения. Оба интереса могут оказывать положительное влияние на продуктивность чтения. Давайте рассмотрим каждый из интересов в отдельности.

ИНТЕРЕС К СОДЕРЖАНИЮ

Чтение, если читатель ценит время, проводится для того, чтобы познать ТОЛЬКО то, что приносит КОНКРЕТНУЮ ПОЛЬЗУ:

— то, что вызывает эмоции (которые доставляют КОНКРЕТНОЕ УДОВОЛЬСТВИЕ или которые формируют настроение, улучшающее здоровье или работоспособность КОНКРЕТНО-

ГО читателя и того, кому этот читатель перескажет прочитанное и передаст настроение, или которые разовьют в читателе КОНКРЕТНЫЕ чувства);

— то, что формирует знания, от применения которых в конкретном деле в конкретном месте и в конкретное время можно будет получить КОНКРЕТНУЮ ПОЛЬЗУ.

Только не нужно ни бояться, что с такой позицией можно превратиться в «человека с узким кругозором» и т.п., ни стесняться превратить чтение исключительно в ПРИЯТНОЕ ДЛЯ ДУШИ и ПОЛЕЗНОЕ ДЛЯ ДЕЛА, т.е. в ПРАГМАТИЧЕСКОЕ ЧТЕНИЕ.

Говоря откровенно, кажется, что лучше стесняться того, что, прочитав немало «вроде бы полезных текстов», не получили конкретных результатов, и лучше стесняться того, что бездарно потеряли время, читая тексты, которые на первый взгляд казались, что «когда-нибудь пригодятся», и в результате превратились в Плюшкина, собирающего в голове содержание текстов «на всякий случай». А чтобы не оставалось сомнений, нужно просто перебрать по памяти прочитанные вами ранее тексты и проанализировать их на «ПОЛЕЗНОСТЬ».

Но достаточно ли ПОНЯТЬ УМОМ, какие тексты следует читать, а какие — нет, чтобы на практике не ошибаться, теряя время на чтение текста, показавшегося интересным?

Как показала практика, только сознательный подход БЕЗ МЕТОДИЧЕСКИХ УПРАЖНЕНИЙ в подобных случаях не дает положительных результатов. К сожалению, ни в школе, ни в вузах не обучают направленно вызывать

интерес к содержанию читаемого (особенно когда интереса нет или когда «предмет просто противен») и не приучают читать с интересом регулярно. Иными словами, там, где ОБУЧАЮТ ПРЕДМЕТАМ, НЕ ОБУЧАЮТ ВЫЗЫВАТЬ ИНТЕРЕС К ПРЕДМЕТАМ (пытаясь «прививать» интерес к предметам в каждом отдельном случае) и НЕ ПРИУЧАЮТ РЕГУЛЯРНО ЧИТАТЬ С ИНТЕРЕСОМ. Предлагаемые ниже упражнения научат вас вызывать интерес к содержанию текста и приучат делать так всегда.

УПРАЖНЕНИЕ 15 *Перед началом чтения конкретного текста вспомните все, что вы знаете по данной теме (проблеме). Во время чтения каждый новый факт, каждую новую мысль текста сравните с одной или несколькими имеющимися в памяти аналогичными фактами или мыслями.*

УПРАЖНЕНИЕ 16 *Перед началом чтения текста вспомните все, что вам уже известно по теме данного текста, и в письменном виде изложите все факты и мысли. Просмотрев полученные записи, осмыслите каждую отдельную вспомнившуюся единицу информации как часть целой темы (проблемы). Попытайтесь продумать возможные взаимоотношения между единицами информации: что с чем взаимосвязано, что с чем взаимодействует. Ответьте на вопрос: «Какой информации недостает в получившейся взаимосвязанной системе фактов и мыслей, чтобы система оказалась полной, цело-*

стной?» Найдите, на какие вопросы по данной теме (проблеме) нельзя ответить, используя только то, что вы вспомнили.

Теперь, медленно читая текст, одновременно проделайте следующих 3 действия:

— оцените, какая информация из прочитываемого текста оказалась вам знакомой, известной;

— заполните пробелы в изображенной вами на бумаге системе фактов и мыслей, используя факты и мысли из прочитываемого текста;

— установите взаимоотношения между информацией, которую вы вспомнили, и информацией из текста.

Разъяснения к этим упражнениям:

Интерес (на эмоциональном уровне — внешне, на нейрофизиологическом — в действительности) проявляется тогда, когда читателем ОЦЕНИВАЕТСЯ (оценивает мозг, измеряя разность потенциалов) РАЗНОСТЬ МЕЖДУ УРОВНЯМИ ЗНАНИЙ, имеющихся в памяти и извлеченных из текста:

Новая информация

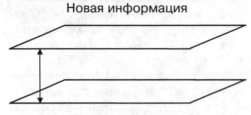

то, что уже было известно

Причем, если уровни (из текста и из памяти) находятся высоко, т.е. на высоко значимом уровне, то разность между ними будет более ощутимой

эмоционально («Вот это да, я-то думал, что это так, а на самом деле немного по-другому!!!»), чем если бы эта же разность обнаружилась на более низких по значимости для читателя уровнях («Конечно, я теперь понимаю, что думал по-другому, да и ладно, это не столь важно...»), то интерес к прочитанной информации в первом случае будет большим, чем во втором случае:

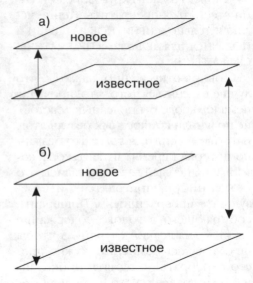

где а) более интересно воспринимается читателем, чем случай б), хотя разность между уровнями в б) большая, чем в а).

Следовательно, для того, чтобы вызывался интерес к каждой отдельной части читаемого текста, а следовательно, и ко всему тексту целиком, нужно во время считывания конкретной информации иметь в активной памяти (в готовом виде на «поверхности» памяти, чтобы не вспоминать долго) также вполне конкретную информацию для сравнения ее со считываемой информацией. А для этого соответственно нужно до начала чтения вспомнить информацию по теме текста и осмыслить ее. Причем желательно, чтобы вспоминаемая информация была высоко значимой (увлекательной, нужной) для читателя.

Как вы, наверное, поняли: для того, чтобы сформировался интерес к чтению текста по какой-то конкретной области знаний, нужно, чтобы уже до начала чтения кое-что вспомнилось по данной тематике.

ЧТОБЫ БЫЛО ИНТЕРЕСНО ЧИТАТЬ, НУЖНО ЗАРАНЕЕ МНОГО ПРОЧИТАТЬ!

Но как же быть, если вы начинаете читать о том, о чем раньше еще не читали (статью о какой-либо неизвестной планете, новый роман с новым героем)? Разве в этих случаях читатель обречен на неинтересное чтение? Нет! Ведь, как правило, читатель начинает чтение, предварительно составив хотя бы приблизительное представление о его содержании по мнениям друзей, по оглавлению, по заглавию (например, газетной статьи). Этого уже достаточно, чтобы еще до начала чтения иметь в памяти информацию высокого уровня значимости. И, конечно же, следует принять во внимание такую человеческую способность, как воображение: достаточно человеку хотя бы назвать тему или намекнуть, о чем может пойти речь в статье (допустим о том, о чем даже нельзя было бы вообразить — о стульях с мягкими ножками, которые можно устанавливать на стенах комнаты...), как тут же подключается воображение, и через мгновение в голове читателя уже будут роиться различные варианты мыслей и фактов по данной тематике (не правда ли, что вы уже представили эти необыкновенные стулья и задумались о том, для кого они, как они крепятся к стенам, насколько удобно на них сидеть и т.д.).

ИНТЕРЕС К ПРОЦЕССУ ЧТЕНИЯ

Экспериментально было показано, что по сравнению с обычным чтением ПРОДУКТИВНОСТЬ ЧТЕНИЯ ВОЗРАСТАЕТ при ОСОЗНАНИИ ИНТЕРЕСА К САМОМУ ПРОЦЕССУ ЧТЕНИЯ (наряду с осознанием интереса к содержанию читаемого). Иными словами, если читатель ВО ВРЕМЯ чтения будет чувствовать интерес к ЧТЕНИЮ непосредственно («Мне приятно само чтение!», «Я читаю легко, с удовольствием!», «Сейчас во время чтения я совершенствуюсь!», «Моя память развивается во время такого чтения!» и т.п.), то СОДЕРЖАНИЕ читаемого усвоится лучше, чем если бы он во время чтения думал только о содержании. Но интерес к самому чтению должен проявляться не на сознательном, а на ПОДСОЗНАТЕЛЬНОМ УРОВНЕ, т.е. читатель не должен во время чтения ДУМАТЬ о чтении. Этого можно добиться путем длительных упражнений, которые ПЕРЕВЕДУТ УМЕНИЯ чувствовать интерес к процессу чтения в НАВЫКИ (т.е. до автоматического проявления умений).

Вначале нужно НАУЧИТЬСЯ (сформировать умение) ВЫЗЫВАТЬ ИНТЕРЕС К ПРОЦЕССУ ЧТЕНИЯ.

УПРАЖНЕНИЕ 17 *Подготовьте несколько десятков очень легких для осмысления научно-популярных текстов, которые, на ваш взгляд, заодно могут оказаться для вас полезными. Желательно, чтобы содержание текстов относилось к той области знаний, в которой вы хотите научиться читать рационально. Общий объем текстов — около 500 страниц. Сейчас вы проработаете эти тексты, не запоминая их содержания. Не сожалейте об этом, так как при выполнении упражнений по следующему занятию вы усвоите их содержание или, специально выделив время когда-нибудь, прочитаете понравившиеся тексты.*

Готовы?

Теперь, пытаясь очень поверхностно знакомиться с содержанием каждого текста, просмотрите их со скоростью 20—30 секунд на страницу (книжного формата), непрерывно формулируя следующие мысли (неважно, в какой последовательности):

1. Взгляд бежит все легче и легче;

2. Взгляд охватывает всю колонку;

3. Слова встречаются чаще и чаще;

4. Слова становятся узнаваемыми;

5. Мое внимание развивается и становится более сосредоточенным — и сопровождая произнесение каждой мысли соответствующими чувствами:

1. Чувство удовлетворения от легкости самого чтения, от того, что ощутимо и неуклонно растет темп чтения, от приятного ощущения полета во время чтения.

2. Чувство уверенности в своих возможностях по расширению поля восприятия и чувство удовлетворения от того, что так несложно, оказывается, дается расширение поля восприятия.

3. Чувство уверенности в больших резервах своей зрительной памяти и чувство удовлетворения от этого.

4. Те же самые чувства.

5. Чувство удовлетворения от раскрывающихся способностей быть внимательным.

Примечания: мысли формулируйте собственными словами;

поскольку упражнение очень утомляет, то выполняйте его небольшими «порциями» по 1—3 минуты.

«Чтение—вот лучшее учение!»

Так в свое время высказался великий поэт-мыслитель Александр Сергеевич ПУШКИН. И он был прав дважды!

Почему дважды? Подумайте. Ответ теперь вы можете найти сами!

НАСТРОЕНИЕ

Вообще говоря, понятие «настроения» настолько тесно переплетено с понятиями «интереса» и «уверенности», что можно было бы не выделять «настроение», но в бытовом общении, особенно при рассмотрении проблемы чтения, люди воспринимают «настроение» обособленно.

Под нужным для продуктивного чтения настроением понимаются не только положительные эмоции (когда читатель покатывается от судорожного смеха), но и недовольство читателя содержанием (только недовольство обоснованное, а не просто «не нравится, и все тут!»), неприятие логики изложения, пусть даже злость по поводу полученных результатов (например, по поводу результатов спортивного матча) и т.п.

Конечно же, ОБУЧАТЬ вызывать настроение не имеет смысла. Мы будем говорить о том, чтобы ПРИУЧИТЬ читателя перед началом чтения любого (но нужного!) текста вызывать какое-либо настроение и в процессе чтения поддерживать его или менять на другое. Упражнение следует выполнять во время обычного чтения (не во время выполнения других упражнений). Чтобы сразу же избежать ошибок при выполнении упражнений, следует предупредить: настроение читателя может не совпадать с описываемым в художественном тексте настроением какого-либо персонажа.

УПРАЖНЕНИЕ 18 *Перед началом чтения текста ознакомьтесь с содержанием путем беглого чтения, определите ваше отношение к излагаемой в тексте информации и сформулируйте настроение, которое идеальным образом, на ваш взгляд, отражало бы вашу АКТИВНУЮ ПОЗИЦИЮ по отношению к излагаемой информации.*

Прочитайте текст привычным образом, пытаясь оставаться в активной (не безразличной) позиции. Закончив чтение, мысленно пройдитесь по содержанию прочитанного текста, вспоминая, какие настроения и как помогали вам не терять активность во время чтения.

УВЕРЕННОСТЬ

Проблема УВЕРЕННОСТИ во время чтения условно может быть разделена на три части: уверенность в том, что излагаемое правильно, уверенность в том, что можно будет получить конкретную пользу от применения полученных из текста знаний, и уверенность в том, что текст может быть прочитан с пониманием и в отведенное время. Рассмотрим три части по отдельности.

УВЕРЕННОСТЬ В ПРАВИЛЬНОСТИ ИЛИ НЕПРАВИЛЬНОСТИ СОДЕРЖАНИЯ

Понятно, что продуктивность чтения зависит от активности позиции читателя по отношению к излагаемой информации, а активность проявляется в том случае, если читатель либо АБСОЛЮТНО СОГЛАСЕН с автором (с излагаемыми фактами и мыслями) и очень доволен этим, либо, наоборот, АБСОЛЮТНО ПРОТИВ и очень «зол» по этому поводу. Хорошо было бы приучить читателя ВСЕГДА проявлять ту или иную активную позицию? Да, хорошо, но только для качества усвоения! А для здоровья плохо... Ведь понятно, что активность — это стресс, а стресс...

Но если говорить всерьез, то с помощью упражнения можно ПРИУЧИТЬ себя читать в активной позиции, а значит, продуктивнее, чем обычно.

УПРАЖНЕНИЕ 19 *Читая тексты, на бумаге или на полях текста ставьте «плюсы», если вы абсолютно согласны с излагаемой информацией (один знак на каждый факт и на каждую мысль), или «минусы», если абсолютно не согласны. Если по поводу какого-то факта или какой-то мысли вы не можете высказать своего отношения, то поставьте знак «?». Закончив чтение, пробегите взглядом по вашим знакам, вспоминая значения соответствующих фактов или мыслей.*

УВЕРЕННОСТЬ В ПОЛЕЗНОСТИ СОДЕРЖАНИЯ

Не требует комментариев, так как известно, что следует читать ТОЛЬКО то, что превратится в знание и будет применено в жизни (здесь речь идет не о художественных текстах).

УВЕРЕННОСТЬ В СВОИХ ЧИТАТЕЛЬСКИХ НАВЫКАХ

Экспериментально было показано, что:

1) читатели, уверенно владеющие навыками и умениями рационального чтения, усваивали содержания текстов значительно лучше, чем читатели, отработавшие умения рационального чтения по полной программе, но применявшие умения неуверенно (им еще требуется время для закрепления умений);

2) читатели, четко распланировавшие время на чтение и свободно уложившиеся в выделенное для чтения время, усваивали содержания текстов лучше, чем те, кто, читая (обычным для них темпом, не быстрее, чем первая группа), понимал, что время, выделенное для чтения, уже вышло.

Практически каждый читатель ловил себя на том, что, вновь и вновь перечитывая одну и ту же строчку, один и тот же абзац или даже одну и ту же страницу, вдруг осознавал, что думает не о читаемом материале, а о чем-то своем. В итоге чтение проходило впустую и возникала необходимость вернуться к только что прочитанной, но не усвоенной из-за невнимательности части текста. Речь идет, конечно, только о непродуктивных возвратах, в отличие от возвратов к прочитанному с целью уточнения смысла или с целью более глубокого осмысления материала.

Из-за частых возвратов к прочитанному, обусловленных невнимательностью, тратится много времени и сил. Но это не столь существенно. Хуже другое — частые мысленные отвлечения во время чтения постепенно становятся нормой для такого читателя, формируя рассеянность. Такой читатель начинает замечать, что стал невнимательным.

Привычный уровень внимания читателя, который постоянно отвлекается, становится значительно ниже его потенциального уровня. В дальнейшем это приводит читателя к недоверию к своим способностям и к возможностям хорошо усваивать содержание текстов за одно прочтение. А недоверие к себе порождает привычку читать рассеянно. Возникает замкнутый круг: где 1 — невнимательность, 2 — потери в усвоении материала, 3 — неуверенность в себе (или привычка читать рассеянно), 4 — еще большая невнимательность.

Таким образом, человек может искусственно занизить свои природные способности. К сожалению, занижают свои способности почти все читатели, и, возможно, занизили и вы. Следовательно, должна быть сформулирована задача: раскрыть внутренние резервы читателя, научиться всегда работать с предельно высоким уровнем внимания. И тогда, увидев, на что вы способны, вы разорвете этот замкнутый круг, что позволит избавиться от непродуктивных возвратов в чтении. Вы станете внимательным читателем.

Неуверенность в достаточном усвоении текста при первом чтении является одним из негативных факторов, снижающих эффективность чтения не только из-за низкого качества усвоения материала, связанного с неуверенностью в себе, но и из-за непродуктивных затрат времени и усилий на возвраты к только что прочитанному, но не усвоенному.

Вы не просто будете устранять этот фактор, негативно влияющий на качество чтения, но постараетесь заменить его противоположным положительным фактором — уверенностью в глубоком усвоении материала при первом прочтении текста.

Обобщая все рассмотренные выше три составные психологической подготовки, можно составить и простейшую общую картину проблемы подготовки к чтению для повышения его продуктивности.

Далее предлагается упражнение, обобщающее тему «Подготовка к чтению». Это упражнение в нашем курсе является очень важным и, как показывают результаты обучения в ШРЧ, принципиальным образом изменяет культуру чтения. Для получения хоро-

Схема 1

ших результатов при проведении психологической подготовки к чтению вам потребуется 1 — 2 месяца. Отрабатывайте упражнение сначала перед чтением текстов, схожих по материалу: советуем начать с определенных рубрик газет, которые вы обычно читаете. Объемы используемых при выполнении упражнения текстов должны быть не менее 2 — 3 тысяч знаков.

УПРАЖНЕНИЕ 20 *Перед чтением бегло просмотрите текст. Технике просмотрового чтения мы будем учиться чуть позже, а пока сделайте это, как сможете. Если вы при этом усвоили лишь 1/10 часть просмотренного текста, не огорчайтесь, этого вполне достаточно, чтобы ответить, нужно ли вообще читать этот текст.*

Если текст нужно запомнить, то его необходимо прочитать дважды: впервые просмотровым чтением и повторно читать подробно. Не советуем читать этим способом лишь художественные и короткие тексты. Во время просмотрового чтения оцените каждую часть текста, решите, что нужно запомнить, что, где и как вы используете и в какой ситуации.

Запомните название текста, ав-

тора, место и год издания, уясните для себя характер материала. Затем письменно ответьте на следующие вопросы:

1. Стоит ли читать этот текст или достаточно ограничиться его беглым просмотром?

2. ЧТО следует запомнить из данного материала?

3. Какова ЦЕЛЬ этой работы (где конкретно будут использоваться полученные знания, насколько они важны и интересны, каких конкретных результатов можно добиться применением этой информации и т.д.)?

4. НА КАКОЙ СРОК нужно запомнить информацию?

5. Какие факты по данной тематике уже вам известны?

Письменные ответы должны быть краткими, но емкими, чтобы запись ответов не занимала много времени, но суть их была усвоена.

Последовательность ответов значения не имеет.

Важен сам процесс поиска ответов на вопросы перед началом чтения, а также важно определить, соответствуют ли ваши предположительные ответы, составленные по беглому просмотру текста, окончательным ответам, полученным после прочтения текста.

Вопросов может быть больше, т.к. предлагаемые вопросы можно дробить на более частные, можно ставить перед собой другие задачи, но здесь важно ДО НАЧАЛА ЧТЕНИЯ ОТВЕТИТЬ МЫСЛЕННО ИЛИ ПИСЬМЕННО НА РЯД ВОПРОСОВ, составив предполагаемую сущность текста.

При чтении текста будет происходить одновременный поиск ответов на эти вопросы. Мыслительные процессы активизируются и в том случае, если ваши предположения о сущности текста подтвердились, и в том случае, если они оказались неверны. Чтение текста из пассивного превратится в процесс АКТИВНЫЙ, творческий, с глубоким критическим анализом. Известно, что активность мыслительных процессов во время чтения повышает продуктивность работы памяти.

Давайте проанализируем суть предложенных вопросов.

Ответ на первый вопрос даст вам ориентир в чтении, опуская несущественное, избегая тем самым перегрузки памяти незначительным материалом, экономя время для постижения необходимого и чтения произведений, обогащающих душу и разум. Со временем вы научитесь грамотно отбирать тексты для чтения, ограничившись лишь беглым просмотром или, наоборот, скрупулезным изучением, в зависимости от необходимости. Пользуясь нашей методикой, вы научитесь правильно ориентироваться и в тексте, опуская несущественное и твердо запоминая главное. Таких результатов вы непременно достигнете, если регулярно перед началом чтения будете бегло просматривать текст, отвечая на поставленные вопросы.

Когда вы привыкнете отвечать на вопросы, что следует запомнить из текста и для чего нужна эта информация, вы сформируете ЦЕЛЕНАПРАВЛЕННОЕ чтение. Ведь многие не имеют определенной цели чтения, они читают, чтобы узнать, о чем текст, читают то, что попадается. Это порождает бессистемное чтение. Встречается много лишней, ненужной информации, при этом интерес к чтению ослабевает.

Напротив, целенаправленное чтение вызывает особый интерес к материалу. Планируя на основе беглого просмотра, ЧТО из статьи или книги следует ЗАПОМНИТЬ, вы выделяете главное в тексте, интересное для вас, а читая текст, убеждаетесь в правильности избранного, работаете с текстом активно, анализируете его, в отличие от пассивного восприятия текста, когда вы просто фиксируете, что изложено автором.

Определение информации для запоминания при беглом просмотре текста, как и определение цели чтения, представляют собой ПСИХИЧЕСКИЕ УСТАНОВКИ, которые в процессе чтения воздействуют на мозг, активизируя восприятие текста. Потренировавшись определенное время, вы автоматически будете искать при чтении ответы на вопросы, одновременно анализируя текст. Формирование психической установки на вычленение основной информации и цели ее запоминания во многом обеспечивают высокое качество усвоения текста, повышают уровень культуры читателя.

При этом формируется избирательный подход не только к подбору литературы для чтения, но и к чтению каждого текста: не все читается одинаково быстро или даже с равным вниманием; производится выбор информации и метода чтения в соответствии с необходимостью для вас той или иной информации. Читать выборочно — одно из главных требований рационального чтения. Конечно, это не относится к художественной литературе, где прочитывается весь текст. Здесь же речь идет об информативных текстах, о текстах по специальности, о периодике и т.п.

Для осмысления и запоминания нужно тщательно отбирать информацию в соответствии с интересами, родом занятий и т.д., то есть в основе отбора запоминаемой информации должен лежать ПРИНЦИП ЦЕЛЕСООБРАЗНОСТИ.

Например, студенту высшего учебного заведения большая часть информации дается не для запоминания, а, главным образом, для развития специфических форм мышления, для получения специальных знаний, для расширения кругозора.

Определив степень важности избранной для запоминания информации, обозначив цели запоминания, необходимо для себя решить, НА КАКОЙ СРОК нужно запомнить те или иные данные.

Нет необходимости всю прочитанную информацию хранить в памяти длительное время или пытаться запомнить навсегда все, что хотелось бы запомнить.

Ограничив срок годности той или иной необходимой информации, Вы тем самым закрепляете в сознании, а затем и на подсознательном уровне психическую установку, команду: запомнить определенные факты на неделю, до сессии, надолго, навсегда либо вообще запоминать не стоит. При этом создаются дополнительные условия для образования в мозгу следов памяти, которые сохраняются именно на заданный срок.

Школой рационального чтения был проведен эксперимент. Один и тот же материал был пройден в двух школьных классах одинакового общеобразовательного уровня. В одном классе предварительно сообщили, что собеседование по прочитанному материалу будет проведено через 2 дня, а в другом — через 2 недели. Через 2 дня провели собеседование с обоими классами. В первом ученики выдали около 60% информации, а во втором — около 55%. Но опрос, проведенный через 2 недели, показал, что первым классом удержано в памяти около 15% информации, а во втором — примерно 50%. Это показывает, как важна для деятельности мозга та или иная психическая установка, в данном случае — установка на определенное время запоминания.

На этапе психологической подготовки к восприятию текста очень важно ВСПОМНИТЬ УЖЕ ИЗВЕСТНЫЕ ФАКТЫ, имеющие к нему отношение. Этот вопрос о связывании и взаимодействии имеющейся в памяти информации мы будем подробно рассматривать позже.

При вспоминании происходит психический процесс, в результате которого припоминается информация.

Чтобы вспомнилось главное, перед началом чтения нужно воскресить в памяти основополагающие знания по данной теме, а припомнив один факт, мы по связи фактов, имеющихся в резервах нашей памяти, вспомним остальные.

Перед тем как прочитать следующий параграф или главу, надо вспомнить или просмотреть предыдущие. Это закон, улучшающий работу памяти. Это касается и чтения художественной литературы: эмоциональное восприятие текста значительно улучшается.

Когда мы смотрим по телевизору многосерийный фильм, перед очередной серией, как правило, излагаются предыдущие. Это не только вводит непосвященных в курс дела, но и эмоционально настраивает зрителя на восприятие этого произведения, внимание тем самым активизируется. Проверено на практике, что запоминание при этом будет значительно лучше.

Итак, перед тем как продолжить чтение текста, прерванное несколько дней назад, вернитесь к предыдущим частям текста (перечитав их или просто вспомнив их содержание) и толь-

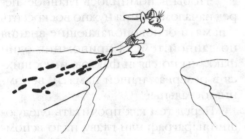

ко после этого можете продолжать чтение, как бы разогнавшись перед очередной частью.

В этом случае чтение будет всегда проводиться продуктивно.

Вы регулярно будете вспоминать то, что уже знаете на эту тему, если выработается психическая установка на повторение пройденного перед чтением текста. Это вселит в вас уверенность в том, что и будущее чтение принесет свои плоды, отобранный для запоминания материал в дальнейшем при работе над этой же темой будет приятно вспомнить, убеждая при этом в безотказной работе собственной памяти.

Таким образом, перед чтением текста, бегло просмотрев его, нужно ответить на ряд вопросов, число которых может у каждого варьироваться, но количество вопросов должно быть всегда одно и то же, так же, как и сами вопросы, если они и будут в чем-то дополнять предложенные выше, должны всегда повторяться. В этих вопросах должна быть отражена суть текста, над которым вы работаете.

Ответы на эти вопросы послужат основой психологической подготовки и усвоения текста. В процессе проведения такой предварительной работы с текстом у вас выработается устойчивая привычка отвечать именно на данный вопрос, т.е. ПСИХИЧЕСКАЯ УСТАНОВКА НА ПРОВЕДЕНИЕ ПСИХОЛОГИЧЕСКОЙ ПОДГОТОВКИ К ЧТЕНИЮ ТЕКСТА.

Психологи, исследующие проблемы чтения, полагают, что выполнением только этого упражнения можно достигнуть очень высоких результатов: на 80 — 90% активизировать внимание и память при чтении, достигнуть качественного и долговременного запоминания прочитанного.

Не должно быть чтения без предварительной психологической подготовки, отработанной до подсознательного уровня! Чтение литературы при подготовке к экзаменам тоже должно предваряться психологической подготовкой к восприятию информации. Этот вид работы имеет свою специфику, но работа будет основана на тех же принципах: вызвать интерес к изучаемому материалу, эмоциональный подъем, следствием которого будет хорошее усвоение учебного материала.

Если вы хотите хорошо изучить учебную литературу и получить высший балл на экзаменах, используйте ЭМОЦИОНАЛЬНО-РОЛЕВОЙ МЕТОД. Суть его заключается в следующем. При подготовке к экзаменам старайтесь

вызвать в себе те же эмоции, что вы испытываете на экзаменах, исполняйте ту же роль, что вы исполняли бы на экзамене. При этом учитывайте личность экзаменатора, проектируйте диалог с ним.

Постигнув суть эмоционально-ролевого метода чтения текста при подготовке к экзаменам, можно потренироваться в подобном чтении учебной литературы. Цель тренировок — научиться искусственно вызывать в себе определенные эмоции, следствием чего будет прочувствованное, заинтересованное чтение текста, а это, в свою очередь, приведет к хорошему его запоминанию. Недаром в некоторых странах делают чучела преподавателей, и студент, готовясь к экзаменам, ведет воображаемую доверительную беседу со своим преподавателем, так что на экзамен он приходит к нему, как к старому знакомому. При использовании эмоционально-ролевого метода очень важна остро прочувствованная цель работы. А результатом такой работы будет гораздо более продуктивный процесс памяти, отличное за-

поминание материала. Хорошо тренированный читатель при помощи эмоционально-ролевого метода может научиться вызывать в себе нужное настроение, то эмоциональное состояние, в котором текст воспринимается наилучшим образом.

Есть и еще один способ вызвать интерес к предстоящей работе с книгой — САМОВНУШЕНИЕ, что материал будет усвоен хорошо, УВЕРЕННОСТЬ в выполнении работы. Этого вы достигнете, проводя регулярные АУТОГЕННЫЕ ТРЕНИРОВКИ. С их помощью вы создадите те благоприятные условия при подготовке к чтению и непосредственно в процессе чтения, что приведет к хорошему усвоению материала, к качественному запоминанию прочитанного.

Все эти способы нацелены на активную мыслительную работу во время чтения, которая будет достигнута возбуждением эмоций до начала чтения.

Приучив себя четко формулировать ответы на вопросы упражнения, вы могли бы добиться еще больших результатов, достигнув хорошего настроения, определенного эмоционального накала конкретными действиями, проводимыми перед началом чтения.

1. Формулирование СТИМУЛА чтения: что заставляет читать этот текст? В вашей формулировке стимула обязательно должно содержаться то, что вызовет положительные эмоции, если вам это поначалу не удастся, то не жалейте времени на поиск, потому что тем самым читатель подготавливает себя к качественному усвоению текста.

Конечно, стимул может вызвать и отрицательные эмоции, примером такого стимула может быть опасение получить неудовлетворительный балл или отрицательный отзыв. Но лучше не угрожать себе кнутом, а поманить пряником, т.е. вызвать в себе положительные эмоции в связи с предстоящими успехами в усвоении материала.

2. Вдохновит читателя и формулирование предполагаемого РЕЗУЛЬТАТА работы с книгой: чего вы добьетесь в результате чтения этого текста?

Необходимо любыми средствами проникнуться осознанием пользы чтения конкретного материала, особенно в тех случаях, когда ни стимул, ни результат энтузиазма не вызывают, например, при подготовке к экзаменам по предмету, который не интересует.

Для этого можно формулировать промежуточные цели, причем здесь желательна детализация. Например, так: во время работы с этими книгами я обязательно найду интересную проблему, которую нужно разрешить (либо: которую еще никто не исследовал). Поиск этой проблемы вынудит скрупулезно выискивать ее в тексте, анализируя по ходу дела изучаемый материал. Другой пример: во время изучения математического анализа при подготовке к экзаменам у меня будет развиваться аналитическое мышление. В итоге чтение станет заинтересованным.

Специалисты, изучающие научную организацию труда, утверждают, что если постоянно внушать человеку, что он добьется конкретного результата, то это действительно произойдет. Если во время чтения вселять в себя уверенность в достижении конкретно поставленной цели, то это сбудется.

3. Эмоциональное напряжение во время чтения вызовет и ПРЕДУГАДЫВАНИЕ содержания, фактов, особенностей материала, который нужно будет прочитать.

Если регулярно выполнять перед чтением эти три условия плодотворного чтения, то интерес при чтении книги, при изучении даже скучного материала вам обеспечен! Ведь этот интерес будет поддерживаться целесообразностью изучения материала, он будет стимулирован хорошим настроением, эмоциональным подъемом.

Действия читателя, направленные на определение целесообразности изучения материала, удачно дополнит планирование действий читателя, которое создаст УВЕРЕННОСТЬ в своих силах и в полноценности предстоящей работы.

4. Советуем также перед началом чтения выбрать конкретный объем текста, работа над которым (чтение, изучение, заучивание и т.п.) дала бы возможность решить поставленные задачи. Объем должен быть реальным: у вас не должно быть неприятного ощущения по поводу того, что вы не успели все прочитать или выучить, либо, пытаясь успеть в срок, вы вынуждены были читать поверхностно и т.п. Наоборот, вас должно радовать, что запланированное выполнено.

5. Распределяйте время на выполнение всей работы и каждой ее части в отдельности. Помните при этом, что нужно планировать лишь реально выполнимое.

6. Определение срока, на который следует запомнить материал, освобо-

дит вас от перегрузки памяти ненужной информацией.

Часто бывает, что в сентябре студент, читая текст, может позволить себе не усвоить материал, ведь до сессии еще далеко! Такое чтение не принесет результата. Но если каждый воспитает в себе иное отношение к процессу чтения, тогда даже в сентябре, читая материал, студент будет при чтении представлять, как через три месяца он ответит этот материал на экзамене, если он будет моделировать эту ситуацию, текст будет усваиваться на более высоком уровне.

Умелое планирование времени работы с книгой и выполнение определенной работы за конкретное время даст возможность более четко организовать свою работу.

7. Перед началом чтения надо ПРИПОМНИТЬ, что вам уже известно на эту тему.

Физико-химический процесс образования следов памяти может быть значительно активизирован при использовании уже имеющихся знаний. С одной стороны, на фоне старых знаний повышается актуальность новых, т.е. искусственно создается ИНТЕРЕС к новым знаниям. С другой стороны, образующиеся в памяти следы новых знаний сразу же оказываются связанными с уже имеющимися следами памяти, а следовательно, лучше закрепляются в памяти. Понимание этого придает УВЕРЕННОСТЬ В УСПЕХЕ предстоящей работы.

Иными словами, мало создать до начала чтения благоприятные для запоминания условия, надо их корректировать.

Для того чтобы рассмотренные семь действий читателя по психологической подготовке к чтению могли создавать благоприятные условия для работы памяти, недостаточно их знать теоретически, и даже мало пытаться их применять. Необходимо отработать эти действия, довести их до автоматизма, а затем применять их на практике ПОСТОЯННО.

Итак, если вы приучите себя проводить психологическую подготовку при чтении любого текста, вы намного повысите качество восприятия и усвоения материала при чтении, подниметесь на новую ступень читательской культуры.

Психологическая подготовка создает благоприятные условия для продуктивного запоминания. Вторым этапом процесса запоминания является ВОСПРИЯТИЕ текста, в процессе которого возникают нервные образования и связи между ними, т.е. создаются следы памяти. В процессе восприятия читатель осмысливает его и запоминает. Повышением качества усвоения вы будете заниматься на втором этапе овладения навыками рационального чтения. Третий этап процесса памяти — закрепление в долговременной памяти информации, проводимое путем различных повторений, мы рассмотрим сейчас, забегая вперед и пропустив рассмотрение второго этапа памяти. Мы должны это сделать, поскольку, чем раньше вы научитесь сохранять в долговременной памяти информацию, тем больше с пользой вы прочитаете текстов, а до того, как вы ознакомитесь со вторым этапом памяти, вы прочитаете много текстов.

ДОЛГОВРЕМЕННАЯ ПАМЯТЬ

Приобретенные навыки рационального чтения научили вас быстро и качественно считывать и усваивать печатную информацию. Но чтение не бесцельный процесс. Выбирая с полки книгу, вы всегда ставите перед собой какие-то задачи: получить удовольствие от чтения стихов, узнать новое в той или иной области, совершенствовать свои знания по специальности и т.д. Эти задачи определяют цель чтения.

В Школе рационального чтения процесс работы с текстом рассматривается как целенаправленное чтение.

Что же нужно для того, чтобы усвоенная информация сохранилась в памяти в том объеме и на тот срок, который вы считаете необходимым?

При чтении информация поступает в так называемую кратковременную память, которая удерживает информацию от нескольких минут до нескольких секунд, после чего информация либо забывается, либо, если продолжать с ней работать, переходит в память долговременную.

Возможности кратковременной памяти недостаточны для того, чтобы полученные знания хранились, к примеру, до экзамена или удержались в памяти в течение времени, необходимого для написания диссертации и дальнейшей научной деятельности, или для того, чтобы в нужный момент в практике врача, юриста, инженера можно было их припомнить. Чтобы это происходило, чтобы усвоенная информация осталась в памяти на короткое, либо на длительное время,

либо навсегда, т.е. на заданный срок, надо эту информацию перевести в память долговременную. Как же добиться того, чтобы усвоенная информация не исчезла, не утратилась из памяти, как закрепить в памяти те или иные данные?

Сохраняется в памяти усвоенная информация на необходимый вам срок с помощью специальных приемов повторения, основанных на знании и использовании тех законов, по которым протекает процесс памяти. Процесс повторения, являющийся третьей фазой процесса памяти, — один из важнейших этапов обучения рациональному чтению.

На этом этапе стоит важная задача — сохранить нервные образования и связи, рожденные в процессе восприятия текста, а также избежать необратимого процесса забывания информации, при котором происходит истощение нервных образований, и поступающий при их возбуждении электрический сигнал слаб, недостаточен для полноценного воспроизведения прочитанного.

Со школьной скамьи нам известно: чтобы что-то запомнить хорошо, нужно повторять. Особенно это важно в процессе чтения. Не случайно народная мудрость родила пословицу: «Повторение — мать учения». Одно нужно повторять чаще, чтобы лучше запомнить, другое реже, но удержать в памяти тот или иной материал, периодически не повторяя его, практически невозможно, не так уж много существует информации, которая может запоминаться совсем без повторений. Повторить прочитанное можно, рассказывая информацию кому-нибудь или перечитывая ее. Но это нерациональный прием попытки сохранить информацию в памяти. Нерациональное становится рациональным, если во время повторения на сознательном или подсознательном уровне происходит анализ: возникает много мыслей на эту тему, одновременно рассматривается проблема с разных сторон, выстраиваются различные образы, решается много разных задач.

Когда нерационально повторяют одно и то же, творческая мысль — только каждая десятая, а остальное, механическое, не запоминается.

Значит, надо не просто повторять, но и выстраивать образы. Между двумя единицами информации возникает много разных связей. Чем больше нервных связей между двумя припоминаниями, нервными образованиями, тем лучше:

— факты осмысливаются с разных позиций;

— осмысливаются целенаправленно, с точки зрения применения на практике.

При воспоминании двух единиц информации развивается нервное волокно между двумя нервными образованиями, чем больше электрических сигналов проходит между ними, т.е. чем чаще возбуждение нервного образования, тем обширнее эта связь, толще нервное волокно. Сформулировать, связать, пропустить через нервные образования электрические сигналы многократно — значит осмыс-

ливать, как связаны информации друг с другом, тогда достаточно вспомнить первую часть информации, как тут же вспомните информацию во всем объеме.

Прочитанное запоминается людьми по-разному. Зависит это от многих факторов: от индивидуальных способностей, характера текста, степени его сложности, от физического и эмоционального состояния читателя в момент усвоения текста, от заданного самому себе настроя, от условий работы и многого другого. Если внешние и внутренние факторы и условия работы благоприятны для запоминания либо созданы вами при проведении психологической подготовки к чтению и чтение у вас — процесс активный, то эффект запоминания будет выше.

Как правило, любая информация припоминается легче путем установления определенных связей. Какой-то один незначительный штрих помогает вспомнить остальное и весьма существенное.

Уже при чтении осмысливаются не только сами факты, но и связь между ними, причем полученная информация уясняется в связи с уже хранящейся в памяти. Связанные факты лучше закрепляются в памяти и легче извлекаются из нее впоследствии.

Легче запоминаются, вытягивая за собой всю нужную информацию, факты, между которыми были установлены при чтении такие виды связей, которые способствуют припоминанию, обычно это смысловые связи, выявляющие как общность, так и различие фактов, объясняющие взаимозависимость и т.д.

Развитие навыков по установлению связей — процесс практически бесконечный. Но довольно быстро можно научиться выделять основу прочитанной информации, ее сгусток в виде так называемых ключевых словесных опор, которые остаются в активной памяти, т.е. всегда припоминаются. При первой необходимости ключевые словесные опоры извлекут из памяти все подробности, все цепочки связанных друг с другом единиц информации. Если же этого не происходит, то не вспомнится и ничего другого. Значит, задача состоит в том, чтобы сохранить, закрепить в памяти эти ключевые слова-опоры. Для этого их надо хорошо запомнить. Решить эту проблему поможет правильно организованное повторение.

Прежде чем объяснить, что значит правильно организованное повторение, уточним понятие процесса повторения.

Повторением следует считать специальную работу с предварительно изученной и проанализированной информацией любого характера, проводимую с целью закрепления этой информации в долговременной памяти для того, чтобы по окончании этой работы можно было бы с максимальной степенью точности пересказать, изложить письменно либо вспомнить усвоенную информацию так, как того требует поставленная задача.

Предварительное изучение того, что вы повторяете, необходимо только в том случае, если информация сложна для понимания, если же материал легко понимается с первого раза,

то повторение его происходит в процессе чтения и осмысливания текста.

Например, если учащийся готовится к экзамену, то по окончании повторения он должен так изложить содержание вопроса, как от него потребуют этого на экзамене.

Если же читатель желает для расширения собственного кругозора изучить и запомнить, к примеру, сказания из греческой мифологии, то по окончании чтения (желательно с карандашом в руках для отдельных пометок) и последующего повторения прочитанного, если это требуется для лучшего запоминания, он должен вспомнить содержание в соответствии с поставленной перед собой задачей. Это относится к любому материалу, который предстоит запомнить — к математическим или химическим формулам, к заучиванию стихотворений и пр.

Именно повторение обеспечивает полноту и точность последующего воспроизведения информации, длительность и прочность хранения запоминаемого.

Каждый знает по собственному опыту, что повторение дает разные результаты в зависимости от того, как повторять. А делают все это по-разному. Одни повторяют все подряд, не отделяя существенное от подробностей, деталей, уточнений. Это очень неэффективное повторение: оно требует запоминания большого объема несущественного, а на это затрачивается много сил и времени. Другие читатели в процессе работы с текстом фиксируют свое внимание на ключевых мыслях, выделяя для запоминания слова-опоры, которые, оставшись в активной памяти, в любой момент припоминаются и помогают вспомнить остальной материал.

Студенты, как правило, штудируют перед экзаменом один и тот же предмет ежедневно, отдавая этому все дни подготовки. Считается, что чем больше, чем чаще повторять, тем лучше для запоминания. Однако анализ результатов процесса повторения показывает, что это не совсем так. Рациональнее чередовать работу над разными предметами. Вашему вниманию предлагается методическая система рационального повторения изученного материала.

Обычно читатели не задумываются над тем, правильно ли, рационально ли они повторяют тот или иной материал, поэтому никто не подходит к процессу повторения, как к проблеме, которую надо решать принципиально.

Так же, как требуют систематиче-ской отработки уже известные вам навыки рационального чтения, требуют этого и навыки хорошего запоминания. Чтобы добиться высокого эффекта запоминания (а это значит запоминать быстро, качественно, долговременно сохранять материал в памяти), надо знать, как повторять: через какие интервалы времени и что нужно делать во время повторений, в каких формах целесообразно их проводить, т.е. следовать проверенным специалистами и положительно зарекомендовавшим себя методам запоминания.

Основываясь на законах памяти, специалисты выявили закономерности в запоминании текста, разработали приемы и условия рационального повторения, дающего максимальный эффект при минимальных затратах времени и усилий, т.е. разработали методику рационального повторения пройденного материала.

УСЛОВИЯ ЗАПОМИНАНИЯ

*Е*сли с трудом или неточно припоминается необходимое, это свидетельствует об отсутствии рационального повторения. Иногда усвоенное ранее не припоминается совсем. Забывание — это тоже процесс, происходящий в памяти, и он имеет свои закономерности. Это сложный процесс. Нас из него будет интересовать лишь то, что относится не к СТИРАНИЮ из памяти информации, а к УМЕНЬШЕНИЮ ВЕРОЯТНОСТИ ПРИПОМИНАНИЯ ИНФОРМАЦИИ из памяти.

Для дальнейших рассуждений нам понадобятся некоторые свойства памяти. Давайте рассмотрим некоторые из них:

1. Чем больше времени проходит с момента окончания чтения (или последнего повторения), тем в меньшем объеме припоминается имеющаяся в памяти информация. Причем наиболее активно память теряет информацию (точнее, следовало бы говорить не о ПОТЕРЕ, а об УМЕНЬШЕНИИ ВЕРОЯТНОСТИ ПРИПОМНИТЬ информацию в дальнейшем) в первые минуты после усвоения материала, затем этот

процесс замедляется (линия, показывающая потерю информации из памяти, вначале наклонена больше).

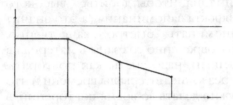

2. Чем чаще повторялась информация, тем медленнее она забывается. По рисунку видно, что после очередного повторения (заштрихованная область) потеря информации из памяти проводится по более пологой кривой.

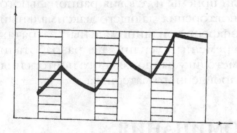

3. Чем легче информация поддается усвоению (интересная, очень нужная или несложная информация), тем меньше времени и усилий требуется для очередного повторения, чтобы восстановить информацию в памяти.

4. Легкая (интересная, нужная) информация «забывается» медленнее сложной (неинтересной, ненужной).

5. С каждым последующим повторением все меньше усилий и времени нужно для припоминания ранее усвоенной информации.

6. С каждым очередным повторе-нием информация откладывается в памяти во все больших и больших объемах и все с более крепкими, глубокими связями.

7. Чем меньше времени проходит после предыдущего повторения, тем меньше времени и усилий требуется для восстановления информации в памяти.

Помимо того, что повторение помогает сохранить в памяти старую информацию, оно дополняет ее новыми знаниями, полученными при первоначальном чтении или при предыдущем повторении, ибо при повторении в памяти отыскиваются новые подробности, ранее не замеченные, в силу чего возникает более глубокое понимание сущности изучаемого предмета, устанавливаются новые связи между группами различной информации, и это позволяет делать новые, более глубокие теоретические и практические выводы. И хотя почти каждый имел возможность убедиться в этом сам, тем не менее не всегда сознательно мы отдаем себе отчет в необыкновенной важности упомянутого свойства психологии восприятия текста, иногда сложная цепь жизненных обстоятельств, их неоднозначное и непредсказуемое воздействие в каждый конкретный момент вынуждают припомнить каждый раз что-то новое, раскрывая с каждым повторением новые удивительные стороны в материалах самого различного рода. Понятно, что процесс «дообогащения» никогда не достигает уровня 100%-ного обогащения, поскольку имеются в виду не простейшие, а относительно сложные тексты, при повторном чтении которых всегда есть возможность более глубокого изучения материала.

Если принять во внимание отмеченные выше закономерности припоминания воспринятой информации, то легко понять, что при повторении не следует допускать потерь усвоенной информации, а достигается это при соблюдении следующего правила: «Повторять прочитанное и изученное следует сначала чаще, затем реже, но не регулярно».

Возьмите себе это правило на вооружение, отработайте привычку, психическую установку всегда повторять прочитанное именно этим способом.

Многократные эксперименты и практический опыт подтвердили, что в этой нерегулярности повторения материала заложена некая пружина безотказного действия механизма памяти. С учетом этого рекомендуем придерживаться следующего процесса повторения:

1-е повторение — через 15 — 20 минут после завершения чтения;

2-е повторение — через 6 — 10 часов после окончания предыдущего повторения;

3-е повторение — через 20 — 30 часов после окончания второго повторения.

Предложенный метод с точки зрения соблюдения определенных временных интервалов между повторениями является самым рациональным, так как способствует максимальному сохранению в памяти информации, не допуская существенных ее потерь, и позволяет затрачивать как можно меньше времени и усилий.

Для подтверждения этого теоретического вывода среди студентов и обычных читателей были проведены специальные эксперименты на запоминание и забывание. Испытуемым предлагалось запомнить заданный материал, а затем через определенные промежутки времени повторять его. Перед каждым повторением и сразу же после него контролировалось содержание запоминаемой информации в памяти. Интервалы времени между окончанием повторения текста и контрольными опросами должны были быть разными. Число повторений — не менее четырех. Для максимальной объективности исследования давалось большое число разных текстов, как учебных (но вне учебной программы), так и научно-популярных. Новизны никакой в самих экспериментах не заключалось (в целом процесс повторения достаточно широко освещен в литературе), проводились они в данном случае с целью уточнения временных рамок для каждого цикла повторения. И цель была достигнута. На основе этих исследований разработана оптимальная программа повторения материала.

Эксперименты проводились в различных вариантах. Установленные при этом закономерности позволяют утверждать, что повторение надо проводить, придерживаясь указанных выше временных интервалов между повторениями и соблюдая следующие условия:

1. Перед повторением необходимо изучить и проанализировать, желательно с ручкой в руках, весь материал, кроме тех случаев, когда он легко усваивается с первого раза (в этом

варианте первое повторение материала будет осуществляться в процессе чтения и осмысливания текста).

2. Необходимо также определить основную задачу предстоящего повторения: усвоить ли смысл и содержание воспринимаемой информации для передачи того или другого своими словами, в своей интерпретации (например, при подготовке к экзамену по философии, истории и пр.) или выучить наизусть стихи, математические формулы, либо близко к тексту путем многократных повторений пересказать математические законы, правила грамматики и пр. В каждом из этих случаев приемы запоминания будут несколько отличаться друг от друга.

Советы специалистов помогли и при разработке практических рекомендаций, касающихся форм и способов повторения материала.

От форм и способов повторения изученного зависит эффективность запоминания. В каждом конкретном случае вы выбираете методы повторения по собственному усмотрению — те, которые наилучшим образом будут содействовать усвоению конкретной информации, ее переводу из кратковременной памяти в долговременную и сохранению в максимально полном объеме на нужный вам срок.

МЕТОДЫ ЗАПОМИНАНИЯ

*П*редлагаемые ниже формы, приемы повторения не являются единственно верными и универсальными для всех случаев запоминания. Индивидуальные способности каждого, различная степень сложности того или иного материала вносят свои коррективы в процесс закладывания в память и воспроизведения информации. И все же можно выделить следующие конкретные формы, в которых проводятся повторения:

а) мысленное припоминание;

б) повторное чтение текста с последующим пересказом его вслух кому-либо, самому себе или воображаемому собеседнику;

в) повторное чтение текста с мысленным пересказом про себя;

г) повторное чтение текста с последующим письменным изложением основных пунктов материала или с короткими пометками-выписками;

д) выборочное прочтение материала через несколько дней;

е) повторное поверхностное чтение;

ж) повторное детальное и углубленное чтение-изучение;

з) пересказ прочитанного кому-либо, обсуждение с кем-либо;

и) повторное чтение с последующим подробным письменным изложением.

Следует отметить, что применение на практике усвоенного материала также способствует закреплению его в памяти и является разновидностью повторения.

Кроме того, повторение может проводиться и с ранее изученным материалом (когда ситуация требует вспомнить то, что было известно давно).

Рекомендуется применять различные комбинации перечисленных форм, искать наиболее оптимальные для вас. Возможны варианты без повторного чтения. Практический опыт показал, что особенно эффективно повторение при сочетании следующих форм:

а — б — г или **а — е — г**

Способ повторения нельзя подсказать точно, он зависит и от конкретного текста, и от того, насколько подробно нужно запомнить этот текст, от вашего настроения и состояния здоровья, и от душевного равновесия в данный момент, и еще от многих других факторов. Дело это индивидуальное, творческое. Однако во всех случаях мысленное припоминание является наилучшим способом закрепления любого материала в памяти, и ему следует отдавать предпочтение, применять по возможности всегда (в том числе перед повторением другими способами).

Само собой разумеется, что всякое повторение предполагает предварительное изучение материала. К моменту первого повторения не должно оставаться каких-либо неясностей или вопросов, требующих разъяснений. Первое повторение поможет углубить знания, которые получены при изучении и, конечно же, укрепить их в памяти. Но происходит это уже на другом, более высоком витке восприятия, когда изученный материал осмысливается по-новому. В этом случае повторяемая информация развивается с каждым разом все больше и больше.

ВАРИАНТЫ ЗАПОМИНАНИЯ

Практическое изучение наиболее рациональных методов повторения при подготовке, к примеру, к экзаменам, семинарам, конференциям, а также при необходимости заучивать наизусть большие объемы текстов позволило выявить дополнительные правила, которые рекомендуется соблюдать, чтобы повторение было максимально эффективным.

Для эффективности повторения предлагается весь требующий запоминания материал перед началом работы разделить на части таким образом, чтобы на каждую часть нужно было затратить 15—20 минут при первом повторении. Для удобства в работе рекомендуется пронумеровать части: № 1, № 2, № 3 и т.д., обозначив № k конечную часть текста. После этого можно приступить к повторению.

Если, к примеру, вам предстоит сдавать экзамен, а подготовке вы можете уделить один день (бывает же такое в жизни!), то проведите в течение дня два повторения по следующему принципу:

I повторе-ние части №1	I повторе-ние части №2	II повторе-ние части №1	I повторе-ние части №3	II повторе-ние части №2	I повторе-ние части №4
15 минут	15 минут	5 минут	15 минут	5 минут	15 минут

и т.д. Здесь 15 и 5 минут — условные величины; времени на повторение вы можете затратить больше или меньше, в зависимости от обстоятельств, от сложности текста, индивидуальных способностей и т.д.

Ко второму повторению каждой части при такой организации вы будете возвращаться примерно через 15—20 минут. Если при первом повторении на каждую часть будет затрачиваться примерно 15 минут (естественно, материал — его объем и сложность — может продиктовать большие или меньшие затраты времени для первого повторения), то через несколько минут при втором повторении, для того чтобы восстановить информацию в памяти, вам будет достаточно примерно 5 минут.

Указанные затраты времени на каждую из поделенных частей приблизительны и носят условный характер; это может быть и 10 и 25 минут. Важно другое, чтобы к каждой части второй раз вы возвращались в среднем через 15—20 минут. Этот промежуток времени наиболее рационален для запоминания, т.к. это время максимально полного удержания информации в памяти, с одной стороны, и минимальных затрат времени и сил на повторение — с другой стороны. Чем легче воспроизводится информация при повторении, тем больше остается ее в памяти после

чтения или после первого повторения, и промежуток времени между очередным и предыдущим повторением будет короче. Ну а если ситуация складывается благоприятная и вы можете уделить повторению несколько дней, к экзаменам вы можете подготовиться иначе.

Если у вас имеется хотя бы еще один день, то проведите третье повторение рано утром так, чтобы перерыв между концом первых двух повторений и началом третьего составил примерно 6 — 10 часов (ночь).

Если можете повторять материал и на третий день, то четвертое повторение проведите в конце дня так, чтобы перерыв между окончанием предыдущего и началом очередного повторения был примерно 20—30 часов. Если же у вас имеется возможность уделить повторению много дней, то пятое повторение проведите в конце пятого дня с перерывом в двое суток, шестое — в конце девятого дня с перерывом четверо суток и т.д.

Перерывы с каждым повторением удваиваются. Все вышесказанное относится к тем случаям, когда требующий запоминания материал содержит около 30— 40 частей. Если же материал небольшой, например, две-три страницы доклада или большое стихотворение в 1—2 страницы, то для повторения по тому же принципу требуется меньшее количество дней.

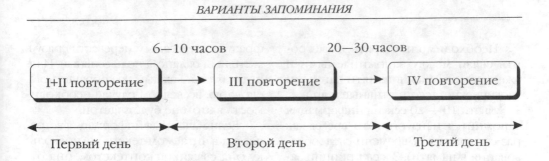

Напротив, если материал для запоминания большой (от 50 до 100 частей), то в зависимости от ваших ресурсов времени нужно разделить весь материал на две половины (первая несколько больше второй, примерно 60 и 40 частей в каждой) для отдельной работы с ними и выбрать один из вариантов повторений:

Вариант первый: в течение двух дней.

1-й день — два повторения первой половины всего материала;

2-й день — два повторения второй половины материала.

Вариант второй: в течение трех дней.

1-й день — два повторения первой половины всего материала;

2-й день — два повторения второй половины материала;

3-й день — одно повторение всего материала.

Вариант третий: в течение пяти дней.

1-й день — два повторения первой половины всего материала;

2-й день — одно повторение первой половины;

3-й день — два повторения второй половины материала;

4-й день — одно повторение второй половины;

5-й день — одно повторение всего материала.

Опыт показывает, что в тех случаях, когда приходится иметь дело с материалами больших объемов, практически неэффективны, а иногда и отрицательны по результатам и потому нежелательны попытки повторений утром в день экзамена, выступления и т.д.

Обращаем ваше внимание еще на один важный момент: перед тем как приступить к повторению, необходимо спланировать время, составить своеобразный график повторений. Исходя из общего количества частей, полученного при разбивке материала (k частей), рассчитываются затраты времени на повторения по дням. Например, если вы разделили весь материал на 30 частей, то в первый день потребуется 30/3 = 10 часов; во второй день на одно повторение нужно около k/4 часов, в третий, пятый и девятый дни — около k/6 часов.

Чтобы запомнить небольшие по объему числа, названия чего-либо, формулы, фамилии, номера телефонов и пр., нужно многократно повторять их в течение 10—20 секунд любым способом: вслух, про себя, записать несколько раз, думая о них, сосредоточив на них внимание.

Необходимо постараться выстроить связи между запоминаемыми и уже имеющимися в памяти данными (логические, ассоциативные и др.).

За эти 10 — 20 секунд информация запомнится наизусть (это время как раз соответствует времени следообразования в памяти). Здесь принцип запоминания прост и не требует подготовки. Так же надо учить иностранные слова: удерживать в памяти запоминаемое слово на протяжении 20 — 30 секунд (в переводе), затем включить его в фразу, т.е. тем самым перевести сразу в активный баланс, а не пассивный. И не потребуется каждый раз обращаться к словарю, во всяком случае необходимость в этом не будет частой.

Если маленькая информация встречается в читаемом тексте, то, поскольку она связана с контекстом, она будет повторяться сама собой в связи с осмысливаемой в это время информацией, и можно не прерывать чтение для того, чтобы повторить эту маленькую информацию.

СПОСОБЫ ПОВЫШЕНИЯ ЭФФЕКТИВНОСТИ ПОВТОРЕНИЯ

Для повышения эффективности процесса повторения советуем помнить о следующем:

1. Повторение должно быть активным. Это не просто пассивная проверка сохранности информации в памяти и ее восстановление в случае забывания.

Что это значит?

Прежде всего то, что мозг должен работать, действовать, извлекать даже, казалось бы, совсем забытую, утерянную информацию изо всех уголков памяти при каждом повторном чтении, просмотре текста, повторении его, переводить информацию в долговременную кладовую памяти. Иначе говоря, повторение не должно быть пассивным, механическим процессом; это активная работа мозга, которая развивает запоминаемый материал, с каждым разом все больше обогащая его. Именно активностью процесса повторения объясняется упомянутый уже выше феномен повторения, когда имеющаяся в памяти информация дополняется, обогащается новой, которая по каким-либо причинам оставалась ранее незамеченной, а будучи извлеченной из памяти, срабатывает подчас непредвиденным положительным образом.

2. При разделении материала на составные части нужно, чтобы каждая повторяемая часть чем-то отличалась от предыдущей и последующей. Особенно это важно при последовательном повторении отдельных частей. Для этого можно чередовать части из различных разделов. Желательно даже чередование частей изучаемых предметов и даже областей знаний: изучение гуманитарных предметов, к примеру, можно эффективно чередовать с заучиванием математических формул. Если материал по своему характеру однороден, то отличие частей друг от друга производите на основе

выделения в этих частях существенных мыслей, можно даже выделить в частях что-то субъективное, пусть даже искусственное, важно, чтобы в вашем сознании, восприятии были созданы яркие образы этих частей.

3. При повторении хорошо использовать схемы-тезисы, составленные из так называемых словесных опор, выделенных при структурном анализе во время чтения и изучения материала. Повторяя квалифицированно словесные опоры, выделенные в тексте, вы практически повторяете весь материал.

4. Перед началом любого повторения попытайтесь припомнить самостоятельно изученное ранее. Составьте план повторения.

5. Умейте расслабляться в процессе напряженной работы!

Процесс повторения хорошо чередовать с занятиями другого рода, например, с выполнением физических упражнений, занятиями дыхательной гимнастикой, короткими водными процедурами (для этого можно всего-навсего ненадолго опустить руки в холодную воду); можно немного отвлечься и послушать музыку высокоэмоциональной насыщенности, неплохо переключиться на какую-нибудь другую полезную работу.

Очень полезен смех, всегда действующий расслабляюще, поэтому через определенные промежутки времени желательно прерывать работу и просматривать, к примеру, хороший юмористический журнал.

Все, что снимает накопившееся напряжение, будет способствовать повышению эффективности вашего основного занятия в этот день — процессу повторения, точнее — процессу запоминания при повторении.

Не забудьте несколько раз просто потянуться во время занятий.

Коэффициент усвоения содержания может быть неодинаковым в разные дни повторений, он может резко упасть, затем подняться. Это не должно пугать или расстраивать вас. Общее состояние, утомление, чувство волнения перед предстоящим событием, к которому вы готовитесь, — здесь все играет роль.

Очень важно быть уверенным в себе, разумеется, когда к тому есть основания. Страх, растерянность, паника отнюдь не способствуют необходимой собранности, концентрации внимания, столь нужных для успешной сдачи экзамена или проведения доклада.

Умение хорошо запоминать не появится от одного лишь ознакомления с изложенными здесь методами, нужна тренировка, нужна уверенность, что отработанные приемы рационального повторения дадут свой результат.

Чтобы сразу не испытывать трудности при повторении пройденного, советуем применять изложенные здесь методы сначала на несложном материале, пока не выработается навык повторений, так как без сноровки можно потерпеть неудачу в любом деле.

Когда же со временем соблюдение необходимых условий и правил процесса повторения перестанет требовать от вас усилий и даже минимального напряжения, когда вы будете припоминать изученное автоматически, подсознательно, по отработанной системе, тогда использование изученных приемов повторения будет существенно экономить ваше время и давать весьма ощутимые результаты: качество запоминания прочитанного будет высоким в течение всей вашей жизни!

ВНИМАНИЕ

Внимание является одним из свойств психики человека, позволяющим выполнять умственную работу качественно. В психологии и педагогике внимание изучается не одно столетие. О способах и приемах, о рецептах и лекарствах, а иногда и просто о советах, улучшающих внимание, написано огромное число статей, и многие из них интересны и полезны. Но, к сожалению, в литературе нередко встречаются и упражнения, не дающие сколь-нибудь положительного эффекта в развитии внимания. Почему? Может быть, эти упражнения неэффективны? Нет! Трудно придумать упражнение, которое ничуть не обострило бы внимание, так как даже если выполнять упражнение, НЕ РАЗВИВАЮЩЕЕ внимание ПО СВОЕЙ СУТИ (например, упражнение с наблюдением за секундной стрелкой часов и т.п.), но названное «УПРАЖНЕНИЕМ ДЛЯ УЛУЧШЕНИЯ ВНИМАНИЯ» (или еще как-нибудь), уже только одним своим названием создает психологическую установку на внимательное выполнение действия, о котором говорится в этом упражнении (смотреть на стрелку и т.п.) и позволяет с каждым разом «чувствовать (только как замерить это чувство?), что внимание улучшается».

Наверное, правильно было бы говорить не о НЕЭФФЕКТИВНОСТИ, а о НИЗКОЙ или НЕЗНАЧИТЕЛЬНОЙ ЭФФЕКТИВНОСТИ подобных упражнений. Особенно низкая эффективность упражнений проявляется тогда, когда упражнение, придуманное для одного какого-либо вида деятельности, предлагается для развития внимания совершенно в другом виде. Например, очень часто «для развития внимания в математике» предлагается упражнение с распутыванием нитей.

Конечно, в этом случае маленький «математик» нахмурит брови и родители с удовольствием оценят это как проявление внимательности! Да, он выполнил работу по ОТСЛЕЖИВАНИЮ ТРАЕКТОРИИ КРИВОЙ ЛИНИИ внимательно. Да, после нескольких тренировок он станет распутывать запутанные на картинке нити быстрее и точнее. Ну и что? А при чем тут математика? К счастью этого малыша (и автора подобной книжки), во время распутывания «тренирующийся» будет думать о том, что это упражнение поможет ему стать внимательным в математике, и невольно внушит себе установку на внимательное выполнение математических действий!

К подобным примерам можно отнести также упражнения по поиску чисел на всевозможных таблицах, по поиску выходов из лабиринтов, по наблюдению за мухой на оконном стекле и т.п. Нередко упражнение «выдергивают» из системы взаимосвязанных упражнений и предлагают его только потому, что оно якобы может выполняться просто и легко, — например, упражнение по наблюдению за пламенем свечи. Сердобольные учителя йоги предлагают это упражнение только после нескольких упорных лет предварительной подготовки. Авторы же некоторых книг рекомендуют это упражнение как «простейшее упражнение для развития внимания». В результате такого применения скорее всего не только не будет значимого эффекта, но, и наоборот, человек может на всю жизнь разувериться в своих способностях в концентрации внимания, ведь в книжке было написано, что это так просто, а ему почему-то упражнение не дается.

Так какие же упражнения следует выполнять и как? Ответ мы получили после тщательных и длительных исследований, проведенных с читателями разного возраста и имевших различные цели. Вот наши выводы:

1. Выполнение упражнений на развитие внимания следует проводить ПАРАЛЛЕЛЬНО выполнению упражнений на развитие понимания текстов. Проблемы с пониманием, которые будут у вас возникать и сохраняться на протяжении нескольких недель выполнения упражнений на понимание, создадут у вас внутреннюю ПОТРЕБНОСТЬ в разрешении этой проблемы, в частности через более внимательное чтение. Это, в свою очередь, позволит ПОВЫСИТЬ АКТУАЛЬНОСТЬ проблемы внимания, и вам еще больше захочется научиться читать внимательно. А желание творит чудеса!

Запоминание и осмысление, как известно, в каждом отдельном случае проводятся НЕ ВООБЩЕ, а по какой-то конкретной теме (проблеме) и с использованием конкретного и ограниченного набора слов, понятий, образов, чувств и ощущений из УЗКОЙ ОБЛАСТИ знаний. Поэтому, тренируя память или мышление, нужно выполнять упражнения только в одной какой-либо области знаний, а не тренировать память вообще (мышление вообще). Развив память и мышление в одной конкретной области и поверив в свои возможности, можно будет перейти к другой области знаний. А поскольку внимание служит фундаментом и мышления, и запоминания, то и ВНИМАНИЕ СЛЕДУЕТ РАЗВИВАТЬ ВНАЧАЛЕ ТОЛЬКО В ОДНОЙ ПРЕДМЕТНОЙ ОБЛАСТИ (например, только в органической химии, или только в области нравственно-эстетических проблем, или только по текстам о садоводстве и т.п.).

Следует также учесть, что ВНИМАНИЕ МОЖНО ПРОДУКТИВНО РАЗВИВАТЬ ТОЛЬКО ДЛЯ ОПРЕДЕЛЕННОЙ ОДНОЙ КАКОЙ-ЛИБО ДЕЯТЕЛЬНОСТИ (например, только для изучения текстов по математике) и только после получения значимых результатов в совершенствовании внимания в данном виде деятельности можно ПЕРЕХОДИТЬ К РАЗВИТИЮ ВНИМАНИЯ В ДРУГОМ ВИДЕ ДЕЯТЕЛЬНОСТИ.

2. Следует РАЗВИВАТЬ ТОЛЬКО ОТДЕЛЬНЫЕ ГРАНИ ВНИМАНИЯ, необходимые в вашем виде деятельности, А НЕ

РАЗВИВАТЬ ВНИМАНИЕ ВООБЩЕ, В ЦЕЛОМ. Например, если нужно длительно работать с большими текстами философского содержания, то следует тренировать УСТОЙЧИВОСТЬ внимания и АНАЛИТИЧНОСТЬ внимания, а если, например, нужно уметь точно и быстро просматривать компьютерные распечатки на предмет выявления ошибок, то следует развить ИЗБИРАТЕЛЬНОСТЬ внимания и т.д.

Внимание, как и любое другое свойство психики человека, имеет различные грани (понятно, что разбиение общего понятия внимания на грани — условно). Мы рассмотрим лишь те грани внимания, которые наиболее ярко проявляются во время чтения, которые наибольшим образом влияют на продуктивность чтения. К таким граням можно отнести:

1. Устойчивость внимания: когда вам нужно поддерживать активное мышление и интерес в процессе длительной работы с текстами, особенно если они вам мало интересны, но очень необходимы.

2. Проницаемость внимания (концентрируемость, сосредотачиваемость внимания): возможность углубляться в проблему или, наоборот, расхолаживать внимание, если читаемая часть не нуждается в глубоком осмыслении.

3. Переключаемость внимания: позволяет читателю следовать за ходом мыслей автора не отставая, даже если он быстро переходит от одной логической нити повествования к другой или часто ссылается на известные факты.

Одной из основ мыслительного процесса является ВНИМАТЕЛЬНОЕ (тщательное) ОСМЫСЛЕНИЕ СОДЕРЖАНИЯ воспринимаемой (читаемой или слушаемой) или выдаваемой (из памяти в письменной или устной форме) информации. Эта основа ГАРАНТИРУЕТ ПРОДУКТИВНОСТЬ (точность, быстроту, объем и уровень профессиональности) мыслительных процессов как в случае восприятия, так и в случае выдачи информации. Эта основа также ГАРАНТИРУЕТ КАЧЕСТВО запоминания в случае восприятия.

Внимательное осмысление зависит от:

— умения переключаться от одной мысли к другой (просмотрите тексты, послушайте радио, и вы заметите, что авторы то и дело перескакивают от одного хода рассуждений к другому, от описания одного события к другому, от одного стиля изложения к другому и т.п.);

— умения удерживать группу мыслей или фактов в поле внимания так долго, пока не будут окончательно осмыслены, уяснены все отдельные мысли и факты как части общего, пока не будут выяснены связи между отдельными элементами;

— умения углубляться все больше и больше в суть осмысливаемой проблемы, привлекая все больше и больше фактов и отдельных мыслей в общий клубок рассуждений, или, наоборот, выходить на поверхность проблемы (расхолаживаться), не позволяя себе углубляться в осмысление какой-либо части общей проблемы (какой бы интересной ни казалась эта часть проблемы в данный момент!).

Для простоты дальнейших рассуждений можно условиться в дальнейшем называть умение переключаться, умение удерживать, умение углубляться и расхолаживаться соответственно ПЕРЕКЛЮЧАЕМОСТЬЮ, УСТОЙЧИВОСТЬЮ и ПРОНИЦАЕМОСТЬЮ ВНИМАНИЯ.

Есть еще 5 граней внимания:

4. Избирательность внимания: необходима при чтении сложных текстов, когда говорится о большом количестве почти сходных качеств, действий или предметов, но которые следует четко различать.

5. Распределяемость внимания: возможность одновременно осмысливать несколько логических цепочек, параллельно развивающихся в ходе чтения.

6. Аналитичность внимания: заставляет читателя постоянно сравнивать свой уровень знаний с уровнем автора, факты, имеющиеся в памяти, с фактами из текста и таким образом, поддерживает мышление читателя в активном состоянии.

7. Критичность внимания: возможность постоянно контролировать свое состояние:

— В том ли направлении я размышляю?

— Правильно ли я расходую силы?

8. Направленность внимания: позволяет читателю не сбиваться с пути, намеченного в начале чтения, даже если в ходе чтения встретятся интересные мысли, способные увести читателя в сторону от главной темы.

Наличие внимания во время чтения означает наличие разницы между ПОТЕНЦИАЛОМ ЧИТАТЕЛЯ и ПОТЕНЦИАЛОМ АВТОРА ТЕКСТА (уровнем знаний автора, его позицией, его интересами). Эта разница должна быть не

слишком большой, чтобы читатель не махнул на него рукой как на никогда не достижимый уровень. Желательно, чтобы разница между уровнем знаний автора и уровнем знаний читателя, между их интересами и между их целями не была слишком маленькой, чтобы читатель все же почувствовал эту разницу, а значит, и интерес к потенциалу автора.

Развитие всех граней внимания

требует длительной напряженной работы и в рамках данного курса не может быть полностью освещено. Подробнее о внимании читайте в специализированных пособиях, выпущенных Школой рационального чтения.

УСТОЙЧИВОСТЬ ВНИМАНИЯ

Одной из проблем внимания является проблема удержания внимания на достаточно высоком уровне, чтобы поддерживать активность мышления, живость мышления, способность привлекать в общий клубок мыслей как можно большее количество единиц информации и, переплетая их, не запутываться, безошибочно проводить мыслительные действия, привлекать яркие образы, чувства и ощущения. Устойчивость внимания в процессе непрерывного чтения может обеспечиваться только ПОСТОЯННО НАРАСТАЮЩИМ ИНТЕРЕСОМ. Если интерес не наращивается, то внимание постепенно начинает рассеиваться. Устойчивость внимания можно сформировать развитием навыка увеличения интереса в процессе чтения.

УПРАЖНЕНИЕ 21 *Подготовьте неинтересный на первый взгляд текст объемом в 3—5 тысяч знаков и содержащий большое количество фактов и мыслей, перечисляемых в тексте последовательно и скучно (занудно). Но сами факты и мысли должны представлять для вас некоторый интерес в жизни.*

Прочитайте текст не торопясь и сопровождая следующим ходом размышлений:

В начале текста говорится о . . . .

Допускаю, что это может быть интересным, так как . . . .

. . . . (находите интерес во всех деталях начала текста) . . . . *Теперь говорится о* . . . .

Прочитав очередную новую для вас мысль или незнакомый факт, поднимитесь в вашем воображении на ступеньку выше (- - - - -), попытайтесь оценить с этой ступеньки тот нижний уровень знаний, на котором вы только что находились (_____). Прочитывая новую мысль, оценивайте ее как новый, более высокий уровень знаний (. . . . .) по сравнению с тем, на котором вы пока что находитесь (- - - - - - -):

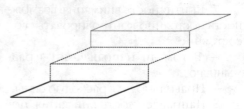

По сравнению с предыдущим это поднимает меня на ступеньку выше по лестнице знаний (если вы узнали действительно что-то новое).

Далее говорится о . . . . *Это еще одна ступенька моих знаний* . . . .

Далее говорится о . . . .
. . . . .
. . . . .
. . . . .
. . . . Это еще одна сту-
пенька моих знаний . . . .
. . . . .
. . . . .
и так далее до конца текста.

УПРАЖНЕНИЕ 22 *Читайте тексты, мысленно подытоживая содержание текста через каждый его абзац в течение 2—3 дней. В последующие дни подытоживайте содержание через каждую минуту чтения, даже если покажется, что подытоживать нечего.*

ПЕРЕКЛЮЧАЕМОСТЬ ВНИМАНИЯ

УПРАЖНЕНИЕ 23 *Сформулируйте 3 (5) мыслей на какую-то одну тему. Желательно, чтобы они были связаны в одну последовательную цепочку. Пройдите мысленно по цепочке, продумав чувства и ощущения, которые могли бы сопровождать все мысли.*

Пример. 1. Утром встает солнце (чувство бодрости, ощущения легкой прохлады и утренней свежести воздуха).

2. Днем солнце находится в зените (чувств — нет, ощущение тепла).

3. Вечером солнце заходит (чувство удовлетворенности от завершения дел и предчувствия предстоящего отдыха, ощущение усталости).

*Пройдитесь мысленно по всем пунктам вперед и назад несколько раз, внимательно разглядывая все детали (цвета, габариты и т.п.) воображаемых сцен и сопровождая ос-*мысление чувствами и ощущениями (в тех случаях, где они есть): 1,2,3. 3,2,1. 1,2 и т.д.*

Запишите в произвольном порядке цифры 1, 2 и 3 в ряд: 1, 3, 2, 1, 3, 1, 3, 2, 1, 2 и т.д. Теперь, указывая на цифры поочередно, мысленно разглядывайте соответствующие сцены. Постепенно увеличивайте темп поочередного разглядывания мыслей и увеличивайте точность воспроизведения.

Пройдитесь мысленно по всем сценам вперед и назад несколько раз, но теперь очень медленно, долго оставляя в поле внимания очередную сцену, очень подробно разглядывая и долго думая о каждой существенной детали сцен.

УПРАЖНЕНИЕ 24 *Выпишите из текста по своей специальности 4 мысли, не связанные логически и «разложите» их в клеточки 2х2. Например:*

Для повышения скорости чтения необходимо улучшение качества усвоения читаемых текстов.	Метод ритмических фиксаций взгляда расширяет поле восприятия и оттесняет проговаривание.
Внимание является фундаментом памяти.	Читать рационально — это значит читать, разумно затрачивая усилия и время.

Выучите расположение мыслей по клеточкам.

Теперь вспомните любую мысль и образно представьте ее расположение в таблице. Подумайте о содержании, представьте образное изображение содержания. Перейдите к соседней клеточке и проделайте те же самые действия со второй мыслью. И так далее. Переключайте ваше внимание от одной мысли к другой. Упражнение выполняйте до тех пор, пока вы 2—3 раза не проработаете с каждой мыслью.

Повторите упражнение, заполнив таблицу из 6 и 9 клеточек.

УПРАЖНЕНИЕ 25 *Читайте два (три и более) текста по одной проблеме, перебрасывая взгляд с одного текста на очередной после завершения чтения какой-либо мысли или* группы мыслей (прочитав один или несколько абзацев одного текста). Для того чтобы не терять время на поиск места, где вы закончили чтение, фиксируйте места окончания чтения какими-либо знаками.

УПРАЖНЕНИЕ 26 *Это упражнение научит вас выстраивать цепь образов, одновременно осмысливая информацию. На выполнение упражнения не требуется дополнительных затрат времени, его можно выполнять устно в транспорте, при ходьбе и вообще в любую свободную минуту.*

Производите в уме сложение любого выбранного вами числа с любым другим числом. Лучше, если оба числа выражены десятичной дробью. К сумме этих чисел прибавьте второе слагаемое и т.д., например:

$$+\begin{array}{r} 12{,}6 \\ 2{,}3 \\ \hline 14{,}9 \end{array} \qquad +\begin{array}{r} 14{,}9 \\ 2{,}3 \\ \hline 17{,}2 \end{array} \qquad +\begin{array}{r} 17{,}2 \\ 2{,}3 \\ \hline 19{,}5 \end{array} \qquad \text{и т. д.}$$

где к каждому очередному числу прибавлялось одно и то же число 2,3:

12,6 + 2,3 = 14,9
14,9 + 2,3 = 17,2
17,2 + 2,3 = 19,5 и т.д.

Сложение выполняется многократно.
Полученные суммы выстраивайте в своем воображении в колонки по два числа:

12,6	17,2	21,8	31,0	
14,9	19,5	28,7	33,3	и т. д.

При выполнении упражнения внимание должно быть сконцентрировано не только на правильном сложении чисел, но и на удержании в образной памяти местоположения в пространстве последнего и очередного чисел.

Число, завершающее ряд колонок, называется последним, при сложении с постоянным слагаемым (2,3) оно даст число, которое начинает следующую колонку, это число называется очередным.

ИЗБИРАТЕЛЬНОСТЬ ВНИМАНИЯ

Избирательность внимания позволяет вычленять необходимые информационные единицы из общего информационного объема. Это может использоваться при определении места фиксации взгляда, выявлении существенных смысловых блоков, поиске интересующей вас информации при просмотровом чтении. Избирательность внимания является обязательным условием в работе корректоров, редакторов, операторов и т.д. Мы предлагаем несколько несложных упражнений, которые позволят вам оценить и развить избирательность внимания. Если этого будет недостаточно, то вы можете продолжить совершенствование внимания, следуя нашим рекомендациям. При выполнении этих упражнений следует следить за двумя периметрами: скоростью и точностью.

УПРАЖНЕНИЕ 27 *За 1 минуту, внимательно читая правую колонку, найдите и зачеркните слова, которые указаны в левой колонке.*

1. Брак   брат бриз брак бра браво брага брод бриг брал брак брань брак.
2. Сено   село семя серо сети север сила секта семя сель соль сельдь себя.
3. Крот   крем край крап креп крой крот круп криз кров крик круп крат крот
4. Обида   обзор обвал обман облом обида обить обряд обилие обуза обида.
5. Плат   плац плес плов плис плюс плащ плюш плач плод плуг плат плут.
6. Скутер   скула скупец скобка сквозь сказка скучать скупой сукно скрип.
7. Подряд   подряд подрать подрос подход подрыв подол подпись подряд.
8. Степь   стенд стекло стечь стена стиль степь стоик столь страж стыть.
9. Ферзь   фетиш фенол физик фауна фальшь фанера ферма фенол фикус.
10. Манка   манера манка мания маркер манеж манка мангал маляр манна.

Запишите, сколько времени вы потратили на задание: _____ мин. Теперь проверьте точность выполнения задания. Вот количество слов, которое встречается в строчках:

Номер	1	2	3	4	5	6	7	8	9	10
Количество	3	0	2	2	1	0	2	1	0	2

Вернитесь к этому упражнению еще два раза через каждую неделю. Не беспокойтесь, вы не запомните слова даже после второго раза и не снизите эффективность упражнения.

УПРАЖНЕНИЕ 28 *За 1 минуту, внимательно читая слова, отметьте пары одинаковых слов (подчеркните, поставьте галочки и т.п.):*

1. Алый аллея альфа аллах алло алоэ алтын алиби алеть алтарь алыча аллюр аллах алмаз.
2. Панты панк панно панна палка панк панда панна парта пат пачка панно пила порт пир.
3. Пот пост поле посев пес покои плед посев порт пот полк пост порог поло поле полог поля.
4. Тень тело текст тезис темь тент тень тема темя тело тент тесто темя темп терн течь текст.
5. Рок роза ролик ропот роль розга родич рот ром роль рот родео рост ропот рог род рогач.
6. Липа лиса липкий лира лист лира ликер линза лик либо лиман лига лидер лирик лиса.
7. Лоток лом локон ложа лорд лог локоть ложь лоза лось лоция лотос лопух лото лоскут.
8. Мазь мама мыть марш маг малек мал мах марля макет мангал масло манго мама мак маг.
9. Луна лунка лука лук луч луза луг лузга луб лужа лук луг лупа лунь лучок лука лучник.
10. Манить манок манка манто марал маразм маска март масса массив матч массив мачеха.

Запишите, сколько времени вы потратили на задание: _____ мин.
Теперь проверьте точность выполнения задания:

№ строки	1	2	3	4	5	6	7	8	9	10
Ключ	1	2	3	4	2	2	0	2	3	1

Вернитесь к упражнению еще два раза через каждую неделю. Не беспокойтесь, вы не запомните слова даже после второго раза и не снизите эффективность упражнения.

УПРАЖНЕНИЕ 29 *Читайте тексты с максимально возможной скоростью и выявляйте слова (словосочетания), которые говорят о каком-либо одном сильно отличающемся*

конкретном признаке или конкретной характеристике, описываемых в тексте предметов или явлений. Например, выявите признаки качества (вес, температура, цвет, шероховатость и т.п.).

УПРАЖНЕНИЕ 30 *Выявите слова, не относящиеся явно по смыслу к группе слов, связанных друг с другом по смыслу:*

1. Лодка, каноэ, весло, киль, корабль, парус, якорь, остров, корма, борт, нос, коралл, мачта.
2. Озеро, болото, залив, водоем, пруд, воздух, заводь, океан, море, дождь, лиман, дельта.
3. Хребет, возвышенность, кряж, скала, плоскогорье, гора, холм, сопка, перевал, вершина.
4. Жилище, город, хутор, село, деревня, поселок, населенный пункт, пустыня, селение.
5. Здание, небоскреб, дом, вилла, шалаш, вигвам, иглу, коттедж, дворец, терем, барак.
6. Школа, институт, лицей, гимназия, обучение, техникум, курсы, университет, академия.
7. Сканер, принтер, дисковод, монитор, клавиатура, дискета, мышь, крыса, дисплей, диск.
8. Книга, учебник, словарь, брошюра, пособие, энциклопедия, атлас, ученик, методичка.

Теперь проверьте точность выполнения задания:

Ключ: 1—остров, коралл; 2—воздух, дождь, дельта; 3—возвышенность, плоскогорье, перевал, вершина; 4—жилище, хутор, пустыня; 5 —... ; 6—обучение; 7—крыса; 8—ученик.

УПРАЖНЕНИЕ 31 *Как можно быстрее и с максимальным качеством усвоения читайте тексты объемом в 0,5 — 1 тыс. знаков (ладонь, как правило, покрывает 1 — 1,5 тыс. знаков) с одновременным, но раздельным подсчитыванием в уме количества букв Ж и Ю.*

Попробуйте выполнить это упражнение на следующем тексте.

Готовы? Запишите время начала чтения: ____ мин., ____ сек., запустите секундомер и приступайте к чтению:

Американский психофизиолог З.Джекобсон утверждает, что он на 10 лет раньше Шульца (И.Г. Шульц — автор аутогенной тренировки. — *Прим. авт.*) разработал метод так называемой прогрессирующей (т.е. последовательной) релаксации. В своих исследованиях Джекобсон установил, что различные отрицательные эмоции, приводящие к состоянию нервного напряжения, создаются напряжением отдельных мышечных групп. Сам факт мышечного расслабления (без гипноза и самовнушения) приводит к состоянию релаксации, под которым Джекобсон понимал не только уменьшение мышечной активности, но и наступление вслед за ним снижения нервно-психического напряжения.

Запишите время окончания чтения: ____ мин., ____ сек.

Итак, вы читали ____ мин., ___ сек. и насчитали _____ букв Ж и ____ букв Ю.

Теперь ответьте на вопросы:

1. Кто признается автором аутогенной тренировки?

_____

2. К чему приводит факт мышечного расслабления?

_____

_____

Проверьте свои ответы по приведенным правильным:

1. Шульц.

2. К состоянию релаксации (уменьшению мышечной активности и снижению нервно-психического напряжения).

Количество букв: Ж — 8, Ю — 4.

Если вы ошиблись в подсчете букв, то при выполнении этого упражнения на других текстах вам надо быть более внимательным к подсчету. Плохое же усвоение содержания текста говорит о том, что при выполнении этого упражнения необходимо уделять больше внимания смыслу читаемого текста. Если же вы потратили больше времени, чем при обычном чтении, то в дальнейшем вам надо себя поторапливать.

Подобного рода выводы нужно делать после каждого выполнения этого упражнения.

УПРАЖНЕНИЕ 32 *Просматривая газетную полосу за 5 минут, воспринимая содержание всех текстов поверхностно (достаточно будет усвоить их на 30%), найдите во всей газете:*

четыре четырехзначных числа, записанных словами,

два названия профессий,

шесть фамилий.

Уясните, почему они употреблены в данном контексте. При этом запоминайте не числа, профессии и фамилии, а содержание текстов.

В книге приводятся некоторые образцы упражнений. Для развития внимания их нужно выполнять в течение нескольких недель. Полный комплекс упражнений составляет отдельный сборник данного автора.

КАЧЕСТВО ЧТЕНИЯ

ЧТО ЗНАЧИТ ПОНИМАТЬ АВТОРА ТЕКСТА?

В ПЛОХОМ ПРИПОМИНАНИИ ПРОЧИТАННОГО ВИНОВНО НЕ ПЛОХОЕ ЗАПОМИНАНИЕ ПОНЯТОГО, А ПЛОХОЕ ЗАПОМИНАНИЕ НЕПОНЯТОГО. Итак, вывод первый: *для того чтобы все понималось и все запоминалось, необходимо (но недостаточно), чтобы все слова и словосочетания были знакомы: значения слов или стоящие за ними смыслы должны УЗНАВАТЬСЯ БЕЗОШИБОЧНО и БЫСТРО.*

Допустим, что все слова и словосочетания известны. Достаточно ли этого для идеального понимания текстов? Нет, знания значений слов и вложенных в них смыслов недостаточно. Для идеального понимания текстов нужны ЗНАНИЯ по предмету, о котором идет речь в тексте, и/или нужны практические навыки усваивать описываемые в тексте знания. Вывод второй: *для того чтобы все понималось* и все запоминалось, необходимо (но и опять недостаточно), чтобы читатель обладал достаточным запасом знаний в области, к которой относится содержание читаемого текста.

Можно ли утверждать, что текст будет ПОНЯТ ИДЕАЛЬНО (т.е. так, как его понимал автор), если читателю знакомы все слова и все использованные в тексте знания? Нет, и этого недостаточно, так как еще нужно учесть психологический настрой читателя на восприятие текста ДАННОГО СОДЕРЖАНИЯ в ДАННОМ ЭМОЦИОНАЛЬНОМ СОСТОЯНИИ. Всем нам знакомы случаи, когда «взахлеб прочитывается книга». Это происходит в те мгновения, когда читатель как бы сливается с автором, когда ЛИЧНОСТЬ ЧИТАТЕЛЯ начинает проявлять те же ЧЕРТЫ, которые раскрылись в ЛИЧНОСТИ АВТОРА в момент написания данного текста. В этом случае читатель ПРОЧИТЫВАЕТ в строчках текста (а может быть, между строк?) ЛИЧНОСТНЫЙ СМЫСЛ АВТОРА — не просто содержание излагаемого предмета, но и психологические оттенки в предложениях автора. Третий вывод: *для того чтобы все понималось и все запоминалось, необходимо (и наконец недостаточно), чтобы перед началом чтения текста проводилась психологическая подготовка.*

Если все предыдущие необходимые условия выполнены, то обязательно выполнение еще одного — главного условия ИДЕАЛЬНОГО ПОНИМАНИЯ ТЕКСТОВ: нужно проводить процесс мышления ПРОДУКТИВНО, т.е. достаточно БЫСТРО (так, чтобы внимание не успевало рассеиваться и чтобы мозг мог работать в оптимальном для него режиме) и ЛОГИЧЕСКИ (с применением приемов абстрагирования). Итак, вывод четвертый: *для того чтобы все понималось и все запоминалось, необходимо и достаточно, чтобы мыслительные процессы проводились продуктивно.*

РЕКОМЕНДАЦИИ для повышения уровня понимания читаемых текстов:

По ВЫВОДУ ПЕРВОМУ — формируйте тезаурусы по всем областям знаний, по которым вы собираетесь в будущем читать тексты.

По ВЫВОДУ ВТОРОМУ — как можно больше читайте литературу не описательного и не повествовательного жанра, а жанра рассуждений.

По ВЫВОДУ ТРЕТЬЕМУ — выполняйте упражнение «Психологическая подготовка» из предыдущего раздела.

По ВЫВОДУ ЧЕТВЕРТОМУ — читайте эту книгу дальше.

К ЧЕМУ ПРИВОДИТ НЕПОНИМАНИЕ ИЛИ ЧАСТИЧНОЕ ПОНИМАНИЕ?

Вначале давайте договоримся о терминах. Если быть точными, то «непонимания» прочитанного текста в чистом виде не существует. Конечно же, если читатель во время чтения думал о совершенно постороннем или он не был знаком со словами, то о понимании и говорить нечего, впрочем, так же, как и о непонимании (ведь не было условий для понимания). Во всех случаях чтения, когда читатель ПЫТАЕТСЯ понять текст, понимание всегда есть. Вопрос лишь в том, КАК он понят (с какой точки зрения, с какой позиции)? Читатель может понять все содержание так, как понимал его автор (возможно, даже при этом не соглашаясь с ним), а может и понять его абсолютно по-своему, думая, что автор так же понимал проблему. Итак, мы договорились, что все мысли, возникающие при чтении, будут говорить о понимании текста. При этом мы будем делить понимание на понимание читателя и понимание автора.

Понимание читателя может быть как истинным, так и ложным по отношению к реально существующей действительности (сейчас мы говорим не о художественной литературе, где реально существующей действительностью является понимание автора). Истинным и ложным может быть и понимание автора. В связи с этим возникают три вопроса:

— Как научиться понимать автора?

— К чему может приводить неправильное понимание правильно понимающего автора?

— Как быть, если вы правильно поняли неправильно понимающего автора?

На первый вопрос вы получите ответ, изучив эту часть нашего курса. Ответом на третий вопрос, к сожалению, является фраза «Никак. Вам просто не повезло». Но все же, чтобы чаще везло, читайте больше и читайте разных авторов. А сейчас давайте попытаемся получить ответ на второй вопрос.

Изумрудный город Великого Гудвина, Королевство кривых зеркал, Страна чудес, в которой побывала Алиса, все случаи в науке и в политике, когда вначале все искренне верили в одни ценности, отрицая другие, и буквально через некоторое время начинали верить в то, что недавно отрицали — все это примеры ОТНОСИТЕЛЬНОСТИ МЫШЛЕНИЯ, а точнее, относительности систем мышления и точек отсчета в них. Винить здесь некого. Человек внушаем. Чтение представляет собой одну из самых сильных форм самовнушения. Чем доступнее написана книга, тем больше читатель подвержен внушению ее содержания. Теперь представьте себе, что вы поняли текст неправильно при том, что автор прав. Это значит, что вы в память заложили неправильное понимание. При чтении следующего текста будете опираться на это неправильное суждение и, возможно, отвергнете другого, но уже «правильного автора» или, что еще хуже, закрепите и разовьете неправильную свою позицию. И т.д. В последующем свое мышление вы будете «развивать в направлении, отличном от правильного», если можно так «мягко» выразиться. При этом некоторые сторонние наблюдатели будут считать вас думающим неправильно (как, например, сейчас, читая эту книгу, думают некоторые читатели об авторе этой книги).

ПРИЧИНЫ НЕПРАВИЛЬНОГО ПОНИМАНИЯ

Попробуем сформулировать причины непонимания или неправильного понимания автора:

Отсутствие в активной памяти необходимых для текста предметного тезауруса и предметных знаний.

Отсутствие навыков оперирования предметной и формальной логикой.

Отсутствие навыков выявления в текстах значимых слов и словосочетаний.

Отсутствие навыков формулирования мыслей, выявляемых в текстах.

Отсутствие навыков установления смысловых связей в текстах.

Недостаточная активность мышления.

Неразвитое внимание.

КАК МОЖНО НАУЧИТЬСЯ ПОНИМАТЬ АВТОРА ТЕКСТА?

Перед вами сейчас встают две цели овладения навыками понимания текстов:

1. Научиться усваивать, т.е. делать своим, СОДЕРЖАНИЕ ТЕКСТА – единичные факты и мысли.

2. Научиться выявлять ФОРМУ ТЕКСТА – пути смыслового объединения единичных фактов и мыслей.

Для достижения этих целей вам нужно решить следующие три задачи:

1. Научиться ИЗВЛЕКАТЬ ДОСТАТОЧНУЮ ИСХОДНУЮ ИНФОРМАЦИЮ из текстов – значимые факты и мысли.

2. Научиться БЫСТРО ФИКСИРОВАТЬ В ПАМЯТИ эту ИСХОДНУЮ ИНФОРМАЦИЮ (без переосмысления, т.е. в авторском варианте).

3. Научиться ВЫСТРАИВАТЬ СМЫСЛОВЫЕ СТРУКТУРЫ текстов в процессе чтения.

Для решения этих задач вам предлагается выполнять комплекс действий – упражнения. Для успешного выполнения действий нужно создать условия – подобрать для практики тексты из той области знаний, в которой вам хотелось бы научиться понимать тексты идеально.

СОДЕРЖАТЕЛЬНАЯ СТРУКТУРА ТЕКСТА

*П*ри осмыслении текстов следует понимать, что изложенная автором текста логическая структура его содержания может быть:

1. Неполной, то есть не содержащей отдельных звеньев в последовательности изложения мыслей. Неполнота структуры объясняется двумя причинами:

— автор может решить, что они являются очевидными и хорошо известными читателю, что их не следует приводить в тексте, что читатель при построении целостной картины текста сам мысленно «пристроит» пропущенные смысловые блоки рассуждений;

— автор, являясь хорошим специалистом в своей области, может не обладать мастерством изложения мыслей в письменном виде, что и отражается в структуре изложения.

2. Содержащей лишние смысловые блоки в цепочках рассуждений. Излишества в структурах текстов объясняются тоже двумя причинами:

— автор может сомневаться в достаточной осведомленности и компетентности читателя в теме текста, в результате чего он может приводить в тексте слишком много примеров или слишком много вспомогательных рассуждений;

— автор может оказаться слишком «болтливым» или неумеющим лаконично раскрывать тему, хотя и очень хорошим специалистом по данной проблеме.

3. Запутанной, то есть не помогающей понять содержание, но, наоборот, ухудшающей понимание текста. Происходит это опять в двух случаях:

— когда автор, будучи непрофессиональным писателем, перескакивает от одной группы мыслей к другой группе, хотя и излагает все группы мысли без пропусков, раскрывает в конце концов всю проблему;

— когда автор текста сам плохо понимает проблему, которую хочет раскрыть в тексте.

Но ведь читателя меньше всего интересует, удачно или неудачно написан текст. Его интересует конечный результат — осмысление текста. Действительно, читателю для понимания проблемы, раскрываемой в тексте, НЕ НУЖНА структура, изложенная автором ФОРМАЛЬНО, но НУЖНА РЕАЛЬНАЯ структура текста, т.е. читателю нужна та структура мыслей и фактов, которая была в голове у автора текста во время обдумывания им данной проблемы. Хорошо, если автор текста изложил содержание мыслей профессионально и искусно. В этом случае формальная структура и является реальной структурой. Но чаще всего это не так. Поэтому, предполагая, что вам придется сталкиваться с текстами, написанными непрофессиональными писателями, советую научиться выявлять структуру в обоих случаях.

Для того чтобы структура выявлялась точно и быстро в процессе чтения, нужно предварительно научиться выявлять в текстах значимую информацию с позиции главной цели текста (автора), а незначимую (для целостного восприятия текста) отбрасывать.

УПРАЖНЕНИЕ 33 *Просматривая текст с максимально возможной скоростью (но не быстро), раздельно подчеркните все отдельно стоящие значимые слова и словосочетания (не служебные), все мысли, все числовые факты и все графические символы и знаки, использованные в тексте для раскрытия содержания. Закончив подчеркивание, оцените значимость каждой подчеркнутой информационной единицы для понимания текста. Для этого попробуйте выбросить информационную единицу из текста или замените ее на ин-*

формационную единицу с противоположным значением или смыслом и оцените, не изменился ли смысл данной части текста (а возможно, и смысл всего текста). Если смысл после этого пункта не изменится, то данная информационная единица является незначимой. Вам показалось, что изменения произошли, скорее всего, вы ошиблись и эта информационная единица является значимой.

Если после этого у вас останутся сомнения, то попробуйте заменить информационную единицу на другую, с тем же (или с приблизительно тем же) значением или смыслом. Изменение смысла данной части текста (или смысла всего текста) после подобной замены будет говорить о том, что скорее всего данная информационная единица не является значимой.

Обычно читатель воспринимает и запоминает текст в его непрерывном и последовательном изложении, читая все, что предлагает ему автор, с одинаковым вниманием и одинаковой скоростью. В общем ряду оказываются и главные мысли автора, и второстепенные мысли, и та несущественная информация, которая является как бы связующим звеном в цепи последовательного изложения между разными единицами существенной информации.

При таком восприятии текста внимание рассредоточивается, механизм памяти работает избирательно, выхватывая из текста для запоминания не всегда существенное, главное. Текст запоминается хуже, слабее осмысливается.

Такой способ чтения малоэффективен, потому что нельзя, да и не нужно запоминать все: и существенное (главное и второстепенное), и несущественное (хотя и на первый взгляд показавшееся существенным).

Гораздо продуктивнее запоминать отдельные, но существенные с точки зрения автора факты и мысли, а затем связать их друг с другом и/или с уже имеющимися в памяти по данной тематике фактами и мыслями. Этот способ чтения не только позволяет лучше усваивать тексты, но и активизирует мыслительный процесс.

Если научиться группировать информацию, выделять в ней главное, не упуская при этом существенные второстепенные детали, эффективность чтения заметно повысится.

Следует заметить, что в выделении существенной информации, которую составляют главная и второстепенная мысли, много субъективного. Действительно, то, что важно для одного человека, может быть несущественным для другого. При чтении текста и вычленении в нем главных и второстепенных мыслей важно понять ПОЗИЦИЮ АВТОРА, осмыслить, что для него наиболее важно в данном тексте, что он хотел сказать. Осмысление авторской позиции поможет объективно проанализировать весь текст.

И если ваша точка зрения будет отличаться от авторской, что будет выяснено в процессе чтения, то во внутренней полемике с автором вы усвоите текст гораздо лучше.

Если же ваша точка зрения совпадает с авторской, то текст тоже будет воспринят активно, так как вы будете вполне удовлетворены, найдя в авторе своего единомышленника.

При этом в процессе чтения будет происходить как бы внутренний диалог читателя с автором, обсуждение наиболее важного в каждом абзаце, главе, части текста, т.е. будет проходить полноценный активный анализ текста, внимание будет предельно сконцентрировано на нем, а это послужит гарантией того, что содержание текста хорошо запомнится. Материал будет усвоен наиболее полно и эффективно. Кроме того, на такое чтение-анализ потребуется гораздо меньше усилий и времени, т.е. текст будет усваиваться РАЦИОНАЛЬНО.

Выявить основные мысли автора и выработать критическое осмысление поможет СТРУКТУРНЫЙ АНАЛИЗ ТЕКСТА. Скоро он станет для вас привычным, и выработается автоматизм в его применении, что поможет вам стать квалифицированным читателем. Для этого нужно научиться не сосредотачивать внимание на несущественной информации.

1. Выделять существенное в каждом абзаце:

— главную мысль;

— второстепенные мысли.

2. Связывать новую информацию с имеющимися знаниями на эту же тему.

3. Выстраивать систему логических связей между существенными мыслями текста.

Нередко, прочитав одну и ту же статью, главу, раздел в книге, два читателя по-разному воспринимают ее содержание. Один может подробно и последовательно пересказать содержание, другой же подробно перескажет лишь некоторые узловые моменты, совокупность которых представит содержание произведения во всей полноте, акцентирует в них главное, с его точки зрения. Очевидно, что первый читатель более глубоко усвоил текст, творчески его переработал и интерпретировал, потому что он проанализировал структуру произведения.

Поиск существенной информации в тексте и игнорирование несущественной, а также выделение в существенной информации главной мысли и второстепенных мыслей графически можно представить таким образом (здесь представлены два абзаца текста):

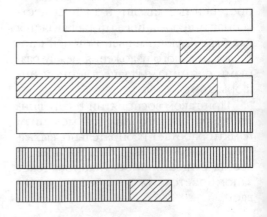

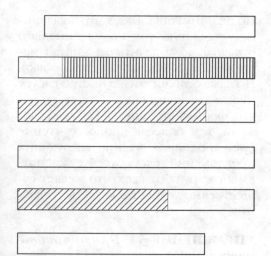

рого читателю нужно построить мысли самостоятельно:

ОСНОВНАЯ, ГЛАВНАЯ МЫСЛЬ — наиболее важная информация из всех существенных в абзаце:

К НЕСУЩЕСТВЕННОЙ ИНФОРМАЦИИ относятся вводные слова, связующие фразы или просто ненужная и неинтересная для конкретного читателя информация:

ВТОРОСТЕПЕННЫЕ МЫСЛИ показаны как существенная, но не главная в абзаце информация. Второстепенные мысли могут быть приведены как в виде предложений, так и в виде фактического материала, на основе кото-

Каждый абзац и каждую часть текста (параграф, главу, раздел) нужно тоже рассматривать, размышляя о главной и второстепенных мыслях, увязывая их одну с другой и с уже имеющимися сведениями на эту тему.

Работу по вычленению главной и второстепенной мыслей и оттеснению несущественной информации нужно проводить постоянно, научиться делать это автоматически, подсознательно, быстро и качественно. Нужно выработать в себе психическую установку на непременное отделение главного от второстепенного и оттеснение несущественного при чтении текста. В этом случае текст будет восприниматься и перерабатываться РАЦИОНАЛЬНО.

ОСНОВНЫЕ МЫСЛИ В АБЗАЦАХ

В каждом абзаце любого текста содержится ТОЛЬКО одна основная мысль (ОМ). Иначе автор не разделил бы текст на абзацы именно таким образом. Все остальные мысли подкрепляют основную мысль, раскрывают ее или подводят к ней. Основную мысль

абзаца нужно уметь выделить и сформулировать своими словами. Опыт показывает, что читатели, научившиеся это делать, существенно улучшают качество усвоения текстов. Читателю иногда может показаться, что в каких-то абзацах содержится несколько ОМ, если читатель плохо знаком с тематикой, о которой пишет автор. Иногда все мысли абзаца могут показаться читателю второстепенными или даже вовсе не существенными, если содержание абзаца окажется для читателя слишком простым или абсолютно знакомым.

Основные мысли абзацев чаще всего даются в явном виде – через одно предложение. Но иногда основные мысли выражаются неявным образом, т.е. через несколько предложений абзаца или через факты. При явном выражении ОМ абзаца автор тем или иным способом выделяет ее среди других, акцентирует на ней внимание (даже неоднократно). Иногда основная мысль выделяется в тексте графически: жирным шрифтом, курсивом, подчеркиванием и т.п. Основная мысль абзаца может быть заключена в рамочки. Нередко для подведения читателя к основной мысли автор использует слова-выводы: итак, в результате, следовательно и т.п.

Неявное представление основной мысли абзаца дается автором с помощью чисел, формул, коротких умозаключений, фраз. Выражение основной мысли неявным образом используется для активизации мышления читателя. Иногда это просто неспособность автора ясно излагать свои мысли. В любом случае неявно выраженная основная мысль абзаца должна быть сформулирована самим читателем на основе материала, содержащегося в абзаце.

Некоторым читателям, совершенствующим свои навыки, кажется элементарным нахождение ОМ абзацев.

Но практика показывает, что большинству зачастую трудно максимально объективно выделить основные мысли автора без должной тренировки. Но даже если читателю быстро дается навык выявления ОМ абзацев, то навык формулирования ОМ своими словами, тем более в процессе чтения (т.е. продолжая чтение следующих предложений текста), требует кропотливого труда от всех, кто желает существенно улучшить качество усвоения.

УПРАЖНЕНИЕ 34 *Приготовьте пять абзацев, объемом 0,2—0,5 тыс. знаков. Если в абзаце имеются факты, то они должны быть осмысливаемыми. Упражнение выполняется в медленном темпе (затрачивая 1—2,5 мин. на все 5 абзацев и записывая мысли) либо в быстром темпе (затрачивая 0,5—1 мин. на все 5 текстов и формулируя мысли устно) следующим образом:*

1. Зафиксируйте время начала работы.

2. Выявите основную мысль первого абзаца, но не читая пословно, а путем «скольжения по мысли автора», т.е. воспринимая не отдельные слова, а смысловые словесные блоки, одновременно осмысливая их и как бы обсуждая с самим собой суть информации.

3. Сформулируйте ОМ своими словами кратко, но полно.

4. После первого абзаца сразу переходите ко второму, третьему и т.д.

5. Проработав все 5 абзацев, просуммируйте время работы.

6. Проанализируйте качество своей работы, ее результаты и сделайте выводы (что получилось, что не получилось, почему и т.п.).

ПРИМЕЧАНИЕ 1. *Во время чтения многие воспринимают информацию пассивно, как бы принимая то, что предлагает им автор, считая, что все понятно. Необходимо приучить себя анализировать читаемое, и если соглашаться с автором, то выдвигая свои доводы в защиту того, о чем шла речь, а если противоречить ему, то выдвигая доводы против его мысли.*

ПРИМЕЧАНИЕ 2. *Для повышения эффективности чтения надо формулировать ОМ как можно быстрее.*

ПРИМЕЧАНИЕ 3. *Если вы не уверены в правильности выявления ОМ, то вам следует больше тренироваться — и уверенность придет. Но не следует проверять, правильно ли вы определили главную мысль абзаца. Лучше не теряйте время на проверку, а выполните упражнение еще раз.*

Выполните упражнение на следующем тексте:

Два горных хребта Памира за три десятилетия приблизились друг к другу на полметра. Это определили с помощью лазера ученые. Периодически измеряя световым лучом расстояние между хребтами, они заметили ранее неизвестное явление. Оказалось, два гиганта то сближаются, то расходятся. По мнению ученых, дрейф горных цепей связан с тектоническими процессами в глубинах земли и не носит катастрофического характера. Это еще одно из явлений природы, которого до сих пор не знали. Большинство исследователей склонны считать, что в этой части Памира сходятся две гигантские «плавающие» плиты, на поверхности которых расположены многие государства Азии. Эксперименты подтверждают эту гипотезу, но немало вопросов остаются пока невыясненными.

Теперь сравните свою формулировку ОМ с версиями, предложенными различными читателями:

1. За 30 лет два хребта Памира сблизились на полметра.

2. Перемещение горных хребтов определяется с помощью лазерного устройства.

3. Дрейф горных цепей и прочего на поверхности земли связан с перемещениями подземных пластов.

4. Дрейф не опасен для людей.

5. Открыто новое явление — колебание горных хребтов.

У вас еще одна версия? Или вы согласны с какой-нибудь из пяти?

Думается, что последняя, пятая версия — наиболее верная, не правда ли?

Отличие формулировок показывает, что разные читатели акцентируют внимание на различных фактах текста и соответственно приходят к разным выводам, которые могут не совпадать с авторскими. Именно поэтому неквалифицированные читатели показывают невысокий процент усвоения содержания —

35—60%, хотя им кажется, что они запомнили в прочитанном почти все, но на самом деле многие основные мысли автора остались ими не восприняты.

ПРАКТИКА. *Выявите в следующих пяти текстах основные мысли.*

Текст 1

Некоторые читатели в своих конспектах делят страницу пополам чертой сверху вниз. С левой стороны они делают выписки из прочитанной книги, а с правой — свои замечания, выделяя подчеркиванием слов особо важные места текста. Этот оригинальный и полезный прием выписок из научной литературы заслуживает внимания.

Текст 2

В Соединенных Штатах на многих государственных и частных предприятиях не принимают на руководящую работу, если специалист имеет скорость чтения ниже 400 слов в минуту. Считается, что при низкой скорости он просто утонет в потоке бумаг.

Текст 3

При любом занятии, в том числе и при решении задач теста, у человека создается внутренняя модель, модель в собственном представлении, с помощью которой он проигрывает в уме задание, выдвигает гипотезы и пробует новые подходы. При этом на пути правильного решения возникают промежуточные ответы, невидимые наблюдателю со стороны, но вполне не осознанные самим исполнителем.

Текст 4

Чтение литературы целесообразно организовать по типу изучения сначала новейшей, затем — новой и, наконец, изданий прошлых лет, как бы развертывая свиток знания от сегодняшнего дня к вчерашнему.

Текст 5

Введение в книгу чаще всего сообщает сведения, непосредственно к теме книги не относящиеся, но необходимые для ее понимания, предпосылки дальнейшего. Для нас особенно существенно то, что нередко в конце введения намечается, а иногда и обосновывается общий план изложения книги и метод изложения. Поэтому само собою ясно, как важно это для предварительного ознакомления с книгой.

Сверьте свои варианты со следующими вариантами формулировок основных мыслей:

Текст 1

1-й вариант. Существует оригинальный и полезный прием выписок из литературы: с одной стороны страницы делать выписки из книги, с другой — свои замечания.

2-й вариант. Прием конспектирования, при котором линией делят страницу пополам для записи мыслей автора и собственных мыслей, заслуживает внимания.

Текст 2

1-й вариант. В США на многих предприятиях не принимают на работу человека, имеющего скорость чтения ниже 400 слов в минуту.

2-й вариант. При низкой скорости чтения руководящий работник не способен справиться со своими обязанностями.

Текст 3

1-й вариант. При любом занятии у человека создается внутренняя модель, с помощью которой он выдвигает гипотезы и пробует новые подходы.

2-й вариант. На пути правильного решения задач у человека возникают промежуточные, вполне осознанные ответы.

Текст 4

1-й вариант. Чтение литературы целесообразно начинать с новейшей, постепенно переходя к изданиям прошлых лет.

2-й вариант. При чтении литературы полезно пользоваться знаниями от сегодняшнего дня к вчерашнему.

Текст 5

1-й вариант. Во введении в книгу для нас особенно важно то, что нередко в его конце намечается или обосновывается общий план изложения книги и метод изложения.

2-й вариант. Введение в книгу часто сообщает отвлеченные от темы книги сведения, однако оно необходимо для понимания книги, предпосылки дальнейшего.

ВТОРОСТЕПЕННЫЕ МЫСЛИ И ФАКТЫ В АБЗАЦАХ

Помимо основных мыслей, в абзаце содержатся второстепенные мысли, играющие существенную роль в усвоении содержания. Они подкрепляют, развивают, дополняют основную мысль, а также повышают ее эмоциональное восприятие.

Умение выявлять второстепенные мысли, отделяя их от основных, и устанавливать логические связи между ними определяет глубину усвоения содержания и, как вы увидите на следующих занятиях, улучшает качество запоминания текста. Поэтому для рационализации обработки информации необходимо отработать навык выявлять и формулировать второстепенные мысли. Для этого используется следующее упражнение.

УПРАЖНЕНИЕ 35 *Выполняется за 1—5 мин. на небольших по объему (0,3—1 тыс. знаков) текстах, состоящих из 1—2 абзацев, аналогично предыдущему упражнению, но в пункте 3 необходимо сформулировать все второстепенные мысли абзаца:*

а) графически: в виде знаков, символов, рисунков, сокращений, чисел и т.п.;

б) устно, по возможности наиболее кратко, но емко.

Распознавание ОМ и ВМ — это процесс: какая-то мысль может сначала показаться основной, а потом в процессе чтения понимаешь, что она второстепенная, так как более важной оказывается другая.

По мере приобретения опыта вы будете все лучше определять, что является ОМ, а что ВМ. ОМ и ВМ надо уметь четко разделять, видеть каждую в отдельности, а не идти от ОМ к ВМ, как бы выстраивая структуру.

Выборочно контролируйте правильность выполнения упражнения, медленно перечитывая текст.

ПРАКТИКА. *Выделите в пяти текстах второстепенные мысли.*

Текст 1

Легко вызвать процессы торможения в мозгу, если, например, долго смотреть в одну точку. Сначала отмечается зрительное, а затем и общее утомление, позже наступает сонливость и сон. Такой же эффект наблюдается, если пристально смотреть на блестящий предмет или световую точку голубого или зеленого цвета. Развитию тормозного процесса способствуют и неторопливые ритмичные мигания указанных световых точек или их маятникообразные покачивания перед глазами усыпляемого.

Текст 2

Записи по материалам чтения научной литературы могут делаться в обычных общих тетрадях, на бланках или листах бумаги специальных размеров, на перфокартах, библиографических карточках. Каждый из этих способов имеет свои достоинства и недостатки. Записи в тетрадях затрудняют подборку выписок по одной теме или проблеме, нахождения выписок среди серий других.

Текст 3

Людей, занятых умственным трудом — научных работников, преподавателей, студентов и других, особенно хочется предостеречь от ночных бдений за письменным столом. Слов нет, бывает очень соблазнительно посидеть за книгой, статьей, диссертацией именно в ночные часы, когда все в доме легли спать, ничто не мешает, не отвлекает. Это опасный путь! Неудачный ритм может рефлекторно закрепиться. Привыкнув бодрствовать до полуночи, человек бывает обречен на бессонницу, от которой не всегда спасают даже сильные снотворные.

Текст 4

Известно, что в природе существует закон периодичности. Человек, как и всякое живое существо, подчиняется законам природы. Правда, периодичность наступления сна более сложна и подвержена разнообразным влияниям, чем периодичность других явлений природы. У человека она зависит от особенностей типа высшей нервной деятельности, возраста, условий внешней среды и, самое главное, от того, каким был период бодрствования.

Текст 5

Школьники не умеют работать с учебником прежде всего потому, что их этому никто не учит. Само же собой это умение формируется крайне редко. Учителя в силу сложившейся многовековой традиции чаще стараются объяснить изучаемый материал, «вложить его в голову» ученикам в готовом виде, а не научить самостоятельно постигать его при помощи активного чтения. Даже те педагоги, которые стремятся научить школьников открывать и добывать знания, а не просто усваивать их, организуют эту работу в основном только в форме бесед на уроках.

Сравните со следующими формулировками:

Текст 1

1) Если долго смотреть в одну точку, то сначала отмечается зрительное, а затем и общее утомление, позже наступает сонливость и сон.

2) Световая точка голубого или зеленого цвета может вызвать процессы торможения в мозгу.

Текст 2

1) Записи в тетрадях затрудняют подборку и поиск выписок по одной теме или проблеме.

Текст 3

1) Очень соблазнительно для людей умственного труда посидеть за книгой именно ночью, когда никто и ничто не мешает.

2) Неудачный ритм может закрепиться.

3) От приобретенной ночными бдениями бессонницы человека не всегда спасают даже сильные снотворные.

Текст 4

1) Периодичность наступления сна у человека более сложна, чем периодичность других явлений природы.

2) Периодичность сна у человека зависит от особенностей типа высшей нервной деятельности, возраста, условий внешней среды.

Текст 5

1) Школьники не умеют работать с учебником прежде всего потому, что их этому никто не учит.

2) Учителя стараются объяснить ученикам изучаемый материал, а не научить их самостоятельно постигать его.

ВЫЯВЛЕНИЕ СТРУКТУРЫ ТЕКСТА

Все вышеизложенные упражнения подвели вас к пониманию того, что такое основные, второстепенные (существенные) мысли, и к умению выявлять их быстро и качественно, а также научили выявлять и игнорировать несущественные мысли. Теперь вы подготовлены к тому, чтобы выявлять структуру читаемого текста.

Законы психологии показывают, что информация, воспринимаемая в однообразно-последовательном, монотонном порядке, усваивается гораздо хуже, чем в виде структуры (некоторого порядка), отражающей наиболее важное в этой информации.

Нужно научиться в процессе чтения осмысливать содержание в виде

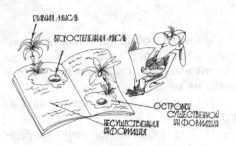

структурной схемы и выстраивать ее одновременно с чтением: о чем говорится вначале, о чем — далее, какова логика изложения материала, есть ли тематическая или какая-либо иная связь между фактами и т.п.

Вначале выстраивание структуры текста будет для вас непростой задачей, но постепенно вы натренируетесь и будете делать это автоматически (подсознательно), что является условием повышения продуктивности чтения.

УПРАЖНЕНИЕ 36 *Приготовьте три текста объемом 0,5 страницы. Тексты должны содержать материал для размышления. Не следует брать информативные тексты. Они не должны быть и слишком сложными. Вначале следует брать более легкие тексты, а затем — потруднее.*

Заранее продумайте свою систему условных обозначений и сокращений для оперативного ведения запи-сей, не глядя в тетрадь и не прерывая чтения.

Читаются все тексты по 2 раза: сначала — очень быстрый просмотр, затем — чтение с обычной для вас скоростью.

До начала чтения бегло просмотрите первый текст со скоростью 10 сек. на каждый текст.

Цель просмотра:

а) составление предварительной структурной схемы текста и планирование при этом уровней концентрации внимания на протяжении предстоящего чтения в соответствии с этой схемой (т.е. где потребуется больше внимания, где меньше);

б) запоминание максимально возможного количества фактов (т.е. того, что успеете запомнить, просматривая текст).

Теперь прочитайте текст еще раз со скоростью, не превышающей вашу обычную скорость чтения, и одновременно проведите структурный анализ:

1. Письменно выделите в каждом абзаце по одной основной мысли (заключайте их в овалы);

2. Письменно выделите второстепенные мысли (заключайте их в прямоугольники) и установите связи ВМ с соответствующими им ОМ;

3. Сгруппируйте информацию всего текста таким образом, чтобы все ОМ были связаны друг с другом по какой-либо логике (по тематике, по смыслу и т.п.).

Проведите такую же работу со вторым и третьим текстами последовательно.

Постройте структуры трех текстов

МАЛОЕ ПОЛЕ ЗРЕНИЯ

Л. Стрельцов

Под полем зрения понимается участок текста, четко воспринимаемый глазами при одной фиксации взгляда. При традиционном чтении, когда воспринимаются буквы, слова, в лучшем случае два-три слова, поле зрения очень мало. Вследствие этого глаза делают много лишних скачков и фиксаций (остановок). Такой прием можно назвать дроблением взгляда. Чем шире поле зрения, тем больше информации воспринимается при каждой остановке глаз, тем меньше становится число этих остановок, а в итоге чтение эффективнее. Быстро читающий за одну фиксацию взгляда успевает воспринять не два-три слова, а всю строку, целое предложение, иногда и весь абзац.

Чтение текста целыми фразами более эффективно не только с точки зрения быстроты: оно способствует и более глубокому и правильному пониманию прочитанного. Это происходит потому, что восприятие больших фрагментов текста в моменты фиксации взгляда вызывает наглядно-образные представления, ярко проясняющие смысл текста. В популярной литературе иногда говорят об угле зрения. Это неверно, ибо угол зрения определяется оптическими свойствами зрительной системы, а не тренированностью.

Значительно снижает скорость чтения и непроизводительный переход глаз от конца каждой прочитанной строки к началу новой. Сколько строк на странице, столько и лишних переходов, т.е. холостых движений глаз. На это расходуется не только время, но и силы. При быстром чтении движение глаз более экономно: почти вертикально, сверху вниз по центру страницы.

СКОРОСТЬ ИЛИ ЗАПОМИНАНИЕ?

К. Иващенко

Память обладает любопытным свойством, которое названо по имени установившего его американского психолога законом Миллера: пропускная способность мозга, то есть объем информации, которую можно воспринять и запомнить одновременно, зависит не столько от общего количества этой информации, сколько от числа ее отдельных, законченных частей. Это число устойчиво и варьируется в очень узких пределах. Оно равно чаще всего 7, реже 5 или 9. Проиллюстрировать закон Миллера можно простым опытом. Положите рядом семь спичек. Их легко сосчитать одним взглядом. Возможно, вы справитесь и с девятью. А вот десять спичек уже придется пересчитывать по одной. Теперь высыпьте на стол всю коробку — 50 спичек. Сосчитать их можно только простым перебором. Но если они разделены на семь частей по семь спичек в каждой, счет займет всего несколько секунд: число спичек в каждой группе и общее число групп можно воспринять с одного взгляда, останется перемножить и прибавить одну отдельно лежащую спичку.

Та же закономерность действует при запоминании любых предметов, чисел, фактов и т.д.: даже очень длинный ряд объектов можно запомнить, если разбить его на группы. Механизм этого явления пока что не ясен, но совершенно очевидно, что существует постоянный и устойчивый порог количества блоков единовременного восприятия и запоминания.

Отсюда важное правило чтения: количество информации, которое удержится в памяти, будет тем больше, чем более крупными блоками она будет восприниматься. Не стремитесь запоминать текст отдельными словами или фразами, старайтесь усваивать основные идеи. Чередуя чтение с припоминанием и пересказом прочитанного, повторите текст по частям и в целом, а если текст велик, то крупными и цельными фрагментами (например, главами). Законченная, богатая содержанием идея запомнится лучше, в ее свете яснее станут связи между отдельными частями, их сравнительная роль, и поэтому запоминание отдельных элементов тоже будет продуктивнее.

Запоминание, подобно вниманию, может быть произвольным и непроизвольным. Как показали эксперименты психологов, продуктивность непроизвольного запоминания при условии, если работа выполняется с увлечением и носит творческий характер, гораздо выше произвольного. При быстром чтении это особенно заметно: мыслительные процессы носят свернутый, сжатый характер, и потому для специального, преднамеренного запоминания не остается времени. Внимание направлено на смысл, а команда «хочу запомнить» может только отвлечь от него. Кроме того, волевая установка на запоминание значительно снижает скорость чтения, так как увеличивает число регрессий: мы еще не знаем, хорошо ли запомнился прочитанный фрагмент, но уже беспокоимся, не забыт ли он, и без всякой нужды возвращаемся к нему. Иногда такие возвраты происходят только мысленно: читая дальше, мы одновременно проверяем, как запомнилось предыдущее. Внимание распыляется, и в конечном счете восприятие оказывается замедленным.

Но все это вовсе не означает, что от произвольного запоминания надо отказаться совсем. Оно мешает только в тот момент, когда вы читаете. Но вот до и после чтения специальная организация памяти совершенно необходима. В сущности, именно этим вы и занимаетесь, когда определяете цель чтения, вырабатываете его предварительную программу, затем повторяете прочитанное.

ОБУЧЕНИЯ СКОРОЧТЕНИЮ В США

Р. Берроу

Американские исследователи добились больших успехов в теории и практике обучения быстрому чтению.

Обучение быстрому чтению начало интенсивно развиваться в США после Второй мировой войны. В 1945 г. будущая школьная учительница Эвелина Нельсон Вуд принесла профессору К.Лису статью объемом 80 страниц на рецензию. Студентка была очень удивлена, увидев, как он быстро перечитал все страницы и сделал нужные замечания. Природная скорость чтения профессора была очень высока. Эвелин Вуд решила понаблюдать за другими людьми, которые обладали такими же природными способностями. За два года она изучила метод чтения 50 человек. Исследования позволили ей сделать общее заключение: каждый из 50 одаренных людей обладал сходными характеристиками приемов чтения: 1) читал, водя глазами по странице сверху вниз, а не слева направо; 2) одновременно воспринимал группу слов, а не одно-два слова, как обычно; 3) редко регрессировал, то есть возвращался к уже прочитанному, чтобы повторно прочитать слово или группу непонятных слов. Все эти особенности и послужили основой того, что 12 лет спустя получило название «динамическое чтение» по системе Эвелины Вуд. В 1961 г. Э.Вуд обучила методам быстрого чтения 12 сенаторов США.

Исследования, проведенные Эвелиной Вуд, показали, что обучение с помощью аппаратов не может быть эффективным потому, что не создается естественная обстановка чтения. Ученик вынужден изучать и сам аппарат, и аппаратные тексты в свитках и таблицах.

Структурная схема текста: **Малое поле восприятия**

1-й абзац

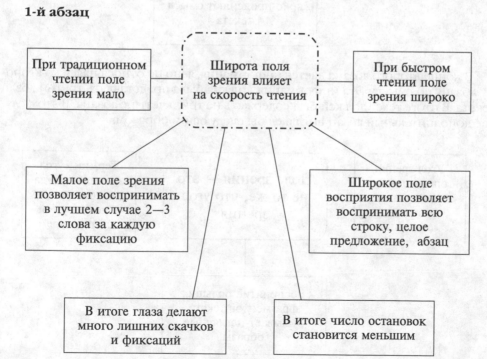

2-й абзац

```
    Широта поля восприятия
   влияет на глубину и правильность
        понимания читаемого
```

```
    Восприятие больших
    фрагментов текста
    вызывает наглядные
         образы
```

```
   Наглядные представления
    ярко проясняют смысл
          текста
```

В конце второго абзаца дается информация, явно не относящаяся ко второму абзацу по смыслу. Эта информация должна была представлять третий абзац текста. В итоге текст должен был содержать не три, а четыре абзаца. В этом случае дополнительный абзац выглядел бы следующим образом:

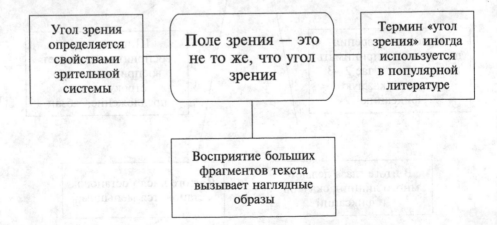

3-й абзац

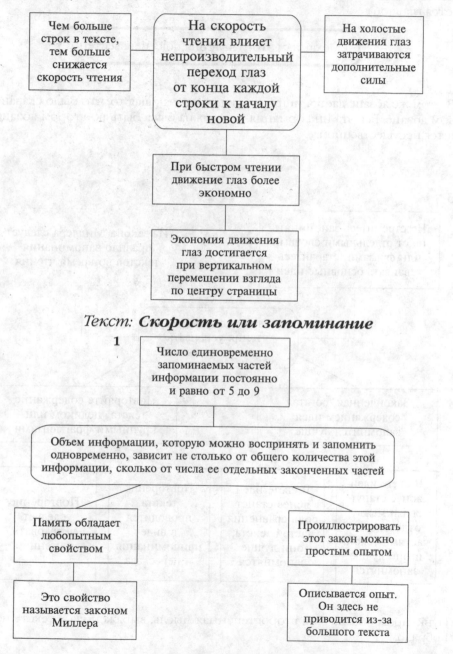

Чем больше строк в тексте, тем больше снижается скорость чтения

На скорость чтения влияет непроизводительный переход глаз от конца каждой строки к началу новой

На холостые движения глаз затрачиваются дополнительные силы

При быстром чтении движение глаз более экономно

Экономия движения глаз достигается при вертикальном перемещении взгляда по центру страницы

Текст: **_Скорость или запоминание_**

1

Число единовременно запоминаемых частей информации постоянно и равно от 5 до 9

Объем информации, которую можно воспринять и запомнить одновременно, зависит не столько от общего количества этой информации, сколько от числа ее отдельных законченных частей

Память обладает любопытным свойством

Проиллюстрировать этот закон можно простым опытом

Это свойство называется законом Миллера

Описывается опыт. Он здесь не приводится из-за большого текста

Далее дается абзац, смысл которого можно передать одной мыслью (она и является главной)

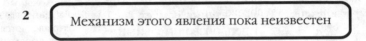

2 Механизм этого явления пока неизвестен

В этом же абзаце дается информация, повторяющая то, что было сказано в первом абзаце. Вся эта информация не должна была быть во втором абзаце и является несущественной.

3

Пунктиром обозначена второстепенная мысль, выраженная в тексте неявным образом.

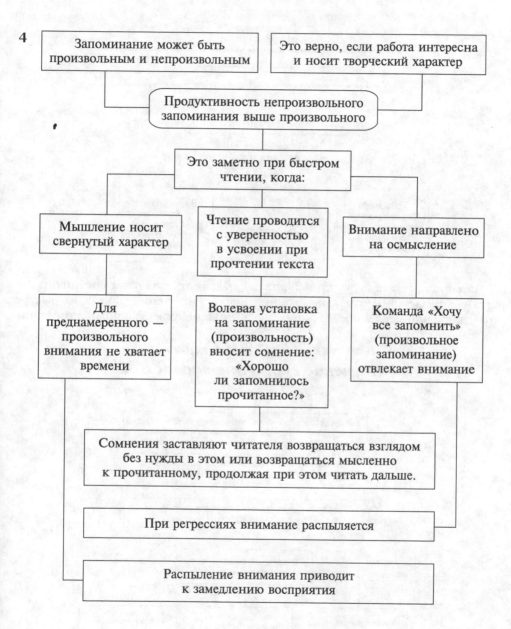

4

Запоминание может быть произвольным и непроизвольным

Это верно, если работа интересна и носит творческий характер

Продуктивность непроизвольного запоминания выше произвольного

Это заметно при быстром чтении, когда:

Мышление носит свернутый характер

Чтение проводится с уверенностью в усвоении при прочтении текста

Внимание направлено на осмысление

Для преднамеренного — произвольного внимания не хватает времени

Волевая установка на запоминание (произвольность) вносит сомнение: «Хорошо ли запомнилось прочитанное?»

Команда «Хочу все запомнить» (произвольное запоминание) отвлекает внимание

Сомнения заставляют читателя возвращаться взглядом без нужды в этом или возвращаться мысленно к прочитанному, продолжая при этом читать дальше.

При регрессиях внимание распыляется

Распыление внимания приводит к замедлению восприятия

В данном тексте структурный анализ выявил то, что текст состоит из двух крупных разделов: о том, как запоминать во время чтения (не важно, быстрое это чтение или медленное), и о произвольном и непроизвольном запоминании.

Структурная схема текста:
Обучение скорочтению в США

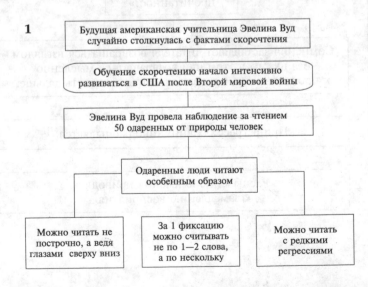

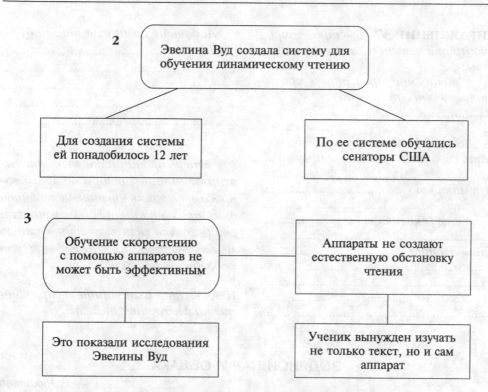

АКТИВНОСТЬ МЫШЛЕНИЯ

Активность читателя, приводящая в конечном результате к быстрому и качественному усвоению читаемых текстов, формируется на постоянной внутренней потребности читателя непрерывно размышлять. Хорошо, если привычка размышлять будет характерной чертой вашей личности. Уместна аналогия между активным читателем и ученым-исследователем. Здесь речь идет о правильной изначальной позиции: РЕШАТЬ ПОСТАВЛЕННУЮ ЗАДАЧУ (пусть даже очень добросовестно, пусть даже с изобретательством) или СТАВИТЬ ЗАДАЧУ, чтобы потом самому ее решать.

Предлагаемое дальше упражнение способно сформировать такую черту вашего характера, которая превратит вас в активного читателя. Эта черта характера будет заставлять вас ВСЕГДА ставить перед собой задачу до начала чтения (например, «Прочитать то-то, так-то, тогда-то» или, например, «Читая этот текст, извлечь оттуда то-то и то-то») и заставлять вас ПОСТОЯННО решать поставленную задачу во время чтения.

УПРАЖНЕНИЕ 37 *Быстро просмотрите текст и заполните пробелы:*

«Сейчас мне предстоит прочитать текст о том, что

....

....

До начала чтения попробую сделать свои предположения насчет ....

....

Я думаю, что ....

А еще речь пойдет о ....

....

Мне кажется, ...

.... *или*

....

....

....

Добавьте сами еще что-нибудь:

....

....,

....

....

....

Теперь прочитайте текст и выясните мнение автора по этим вопросам. Во время чтения настойчиво думайте о ваших предположениях и старайтесь использовать каждую мысль автора, каждый факт для поддержки вашей позиции.

ПРАКТИКА. *Выполните упражнение на следующем тексте:*

ВОДЯНОЙ ПАР И ОБЛАКА

Р. Николаев

В тропосфере всегда содержится водяной пар. Он поступает в воздух при испарении, которое происходит постоянно с поверхности суши и растений, снега и льда, рек и водоемов при положительных и отрицательных температурах.

Количество водяного пара в граммах, содержащееся в 1 кубометре, называется абсолютной влажностью.

Водяной пар — невидим, легче воздуха. Обнаруживает он себя тогда, когда воздух охлаждается и невидимые частички воды, соединяясь, образуют мельчайшие капельки воды — туман. Воздух, который не может вместить больше водяного пара, чем он содержит, называют насыщенным. Воздух, находящийся над теплой, сухой поверхностью, обычно содержит водяного пара меньше, чем мог бы содержать при данной температуре. Такой воздух называется ненасыщенным.

Относительная влажность — это отношение количества влаги, находящейся в воздухе, к тому количеству, которое он может содержать при данной температуре. Относительная влажность выражается в процентах. Относительная влажность насыщенного воздуха равна 100%. Воздух, имеющий влажность около 30% и меньше, считается сухим.

На метеорологических станциях влажность измеряется с помощью прибора гигрометра, используются приборы — самописцы-гигрографы.

Облако — это скопление водяных капель. Облако находится на значительной высоте над земной поверхностью. Главная причина образования и тумана и облака: выделение капелек воды при охлаждении воздуха, насыщенного водяным паром. В воздухе, имеющем температуру ниже 0 градусов по Цельсию, облако состоит из кристалликов льда.

Облака имеют различные формы, которые зависят от условий их образования, высоты, ветра. Все виды облаков по форме можно объединить в три основные группы. Каждая из них имеет свои разновидности.

Кучевые облака. Если потоки нагревающегося воздуха поднимаются быстро, основание его становится темным и кажется, что оно готово брызнуть дождем. Такое облако называют кучево-дождевым или ливневым.

Пасмурным выглядит небо с низкими, однообразно серыми слоистыми облаками. Они могут сплошь закрывать все небо. Иногда слои имеют вид крупных валов с различными серыми оттенками. Их называют слоисто-кучевые.

В солнечные дни можно видеть как бы разбросанные по небу ослепительно белые волокна, или перья так называемых перистых облаков. Эти самые высокие и тонкие облака образуются в верхней тропосфере и состоят из мелких кристалликов льда.

Прочитали текст? Теперь ответьте на вопросы, поставив крестики на строчках, наибольшим образом отражающих действительность:

1. Насколько уверены вы были в своих позициях до начала чтения:

— абсолютно уверен ___ ;

— уверен в какой-то степени ___ ;

— не уверен вообще ___ .

2. На основе чего вы сделали свои предположения:

— на основе твердых знаний ___ ;

— по-моему, что-то читал, слышал ___ ;

— «ткнул пальцем в небо» ___ .

3. Не правда ли, что предположения, высказываемые вами до начала чтения, делают чтение интересным процессом:

— да, это так ___ ;

— как-то не заметил этого ___ ;

— нет, даже стало неинтересно читать ___ .

ПРИМЕЧАНИЯ:

1. Даже если вы делали свои предположения не на основе знаний, а просто пытались угадать, то это все равно отлично.

2. Пытайтесь не делать неуверенных предположений.

3. Всегда обращайте внимание на то, чтобы составление предположений до начала чтения превращало чтение в интересное занятие.

Аналогично обработайте еще несколько своих текстов.

УПРАЖНЕНИЕ 38 *Перед началом чтения бегло просмотрите текст и сформулируйте вопросы по тексту. Прочитайте текст основательно, но быстро, пытаясь найти ответы на поставленные вопросы. Начинай-*

те выполнять упражнение, формулируя 2—3 вопроса. Доведите выполнение упражнения до такой стадии, чтобы вы могли удерживать в памяти 8—10 вопросов и находить ответы на все без пропусков.

УПРАЖНЕНИЕ 39 *Чтение текста в обычном его понимании замените на непрерывное формулирование вопросов во время перемещения взгляда по тексту и получение ответов на них. Выполнение упражнения следует проводить по следующему плану:*

— Первая неделя.

1. Прочитайте первое предложение текста и как можно быстрее составьте вопрос по этому предложению. Еще лучше, если вы начнете составлять вопрос, даже не прочитав предложение до конца.

2. Используя значимые слова предложения, мысленно ответьте на вопрос.

Перейдите ко второму предложению. Еще лучше начать читать второе предложение, не завершив ответ на первый вопрос до конца. И так далее.

— Вторая неделя.

1. Прочитайте первый абзац текста и мысленно составьте вопросы, касающиеся всех важных проблем и существенных фактов абзаца.

2. Выделите среди сформулированных вопросов тот, который касается наиболее важной мысли абзаца.

3. Перемещая взгляд по тексту так же, как и при обычном чтении, мысленно ответьте на все вопросы, особо выделив мысли и факты, входящие в ответ на наиболее важный во-

прос. Перейдите ко второму абзацу. И так далее.

Третья неделя.

1. Перемещая взгляд по тексту, как и при обычном чтении, формулируйте вопросы, не останавливая движения взгляда по строчкам, и сразу же отвечайте на них. Если ответ оказывается крупным и требует для своего формулирования много времени, то следует прерывать чтение на несколько секунд.

УПРАЖНЕНИЕ 40 *Читая текст как можно быстрее, найдите слова, после которых обычно следуют выводы (заключения, обобщения и т.п.), и, приостановив на время чтение, постарайтесь сделать выводы (заключения, обобщения и т.п.) сами. Затем продолжите чтение и сравните ваши выводы (заключения, обобщения и т.п.) с авторскими.*

ПРИМЕЧАНИЯ

1. Желательно свои выводы формулировать в письменном виде.

2. То, насколько ваши выводы будут совпадать и по содержанию, и по количеству пунктов с выводами автора текста, говорит о том, насколько вы хорошо усвоили читаемый текст, ведь автор делает выводы только после того, как изложит всю необходимую для этого информацию.

3. Слова, после которых, как правило, следуют выводы (заключения, обобщения и пр.): итак, в итоге, итого, следовательно, следует, в результате, соответственно, очевидно, поэтому, потому, значит и т.п.

ПОЛЕ ВОСПРИЯТИЯ И МЫСЛЕННОЕ ПРОГНОЗИРОВАНИЕ

С момента начала занятий вы уже сильно изменили свои читательские навыки и теперь выгодно отличаетесь от ваших коллег по работе или по учебе, от ваших любимых членов семьи и добрых соседей. Вы уже успели:

1. Повысить вашу культуру чтения, создав все условия для совершенствования навыков чтения. Для этого вы развили внимание и память, повысили продуктивность чтения за счет проведения психологической подготовки к чтению, обеспечили легкость чтения за счет активизации тезауруса и расширения поля восприятия, приучили себя читать без сплошного проговаривания и не отвлекаясь. Вы теперь работаете с книгами профессионально и не утомляясь.

2. Повысить качество усвоения текстов. Для этого вы научились выявлять из текстов существенную информацию, профессионально осмысливать все факты и мысли текста. Способствовало этому совершенствование мышления и воображения, развитие логических приемов осмысления содержания текстов.

В итоге примерно за 4 недели упорных тренировок качество усвоения текстов выросло примерно на 10—30%, и теперь при прочтении несложных текстов вы наверняка усваиваете не менее s содержания. Кстати, по всем международным стандартам только чтение с усвоением более чем 75% можно считать КАЧЕСТВЕННЫМ ЧТЕНИЕМ. Все остальное – поверхностное чтение!

Возможно, что некоторые ваши умения качественного усвоения и прочного запоминания вы еще не довели до автоматического применения на практике. Возможно, эти умения еще требуют своего развития. В этом случае найдите дополнительное время. В процессе дальнейшей работы над следующим этапом овладения навыками рационального чтения вы сумеете развить навыки качественного усвоения текстов.

Ваша скорость чтения к настоящему моменту, наверное, незаметно подросла и, скорее всего, находится в диапазоне 600—1200 зн/мин. Это 1,5—3-кратное увеличение скорости чтения — несущественное увеличение и является результатом того, что вы сейчас ПРОСТО ПОЗВОЛЯЕТЕ себе читать так, как вы это можете делать на основе ваших природных способностей и на основе ваших нынешних возможностей мышления и памяти. Пока еще вы не занимались СПЕЦИАЛЬНЫМ ПОВЫШЕНИЕМ СКОРОСТИ ЧТЕНИЯ. На завершающем этапе овладения навыками рационального чтения вы существенно увеличите свой диапазон скоростей продуктивного чтения.

Цель последнего третьего этапа совершенствования читательских навыков — сделать ваше чтение отвечающим требованиям современной жизни – гибким и при необходимости скоростным.

Чтобы достичь высоких результатов на этом этапе занятий, вам потребуется решить следующие две задачи:

1. Существенно расширить поле одномоментного восприятия текстовой информации, иначе говоря, увеличить объем печатного текста, усваиваемый за каждую фиксацию взгляда, научившись МЫСЛЕННО ПРЕДВОСХИЩАТЬ (ПРЕДУГАДЫВАТЬ, АНТИЦИПИРОВАТЬ) при чтении части текстовой информации, находящейся в поле видения (в боковых частях), но вне поля восприятия обычного читателя, т.е.

вне того поля зрения, внутри которого все буквы видны отчетливо, резко. Нужно научиться схватывать как бы боковым зрением, научиться быстро осмысливать еще не дочитанное. Любой человек, держа в руках текст на расстоянии 30—40 см, способен увидеть страницу целиком, а в поле ясного видения находится незначительная часть — 1—3 слова.

Вот так чтение проводилось читателями до начала занятий по рационализации чтения:

Возможно, что некоторые ваши умения качественного

усвоения и прочного запоминания вы еще не довели до

автоматического применения на практике.

4+5+3 = 12 фиксаций взгляда на строчках.

— поле отчетливого видения, с которого информация считывается и узнается.

— поле, с которого информация угадывается, прогнозируется.

Вот так чтение проводилось читателями через одну неделю занятий по рационализации чтения (8 фиксаций взгляда):

Возможно, что некоторые ваши умения качественного

усвоения и прочного запоминания вы еще не довели до

автоматического применения на практике.

Вот так чтение проводится читателями после окончания курса рационализации чтения (5 фиксаций):

Возможно, что некоторые ваши умения качественного

усвоения и прочного запоминания вы еще не довели до

автоматического применения на практике.

Вот так будет выглядеть траектория перемещения взгляда по полю текста:

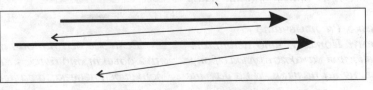

2. Сформировать 4 различные стратегии чтения (способы перемещения взгляда по текстам и способы осмысления при этом) и сформировать соответствующую психическую установку на возможность негоризонтального перемещения взгляда при чтении (привычку перемещать взгляд по тексту не только построчно, но и, если понадобится, по сламной траектории).

3. Выработка навыка негоризонтального перемещения взгляда.

При этом должно соблюдаться условие: уверенное, достаточно полное и точное усвоение содержания читаемых текстов.

ЭКСПЕРИМЕНТ!

Выберите на дальней стене вашей комнаты какой-либо объект наблюдения. Посмотрите на него. Теперь растопырьте пальцы одной руки и подведите руку так, чтобы вы наблюдали выбранный объект сквозь пальцы.

Как вы при этом видите свои пальцы?

Нерезко. Расплывчато.

Почему? Потому, что центральные оси видения каждого взгляда сфокусированы не на пальцах, а на дальше

расположенном объекте. Иными словами, по отношению к пальцу оси видения оказываются РАЗВЕДЕННЫМИ.

Примечание. Разведение осей видения — абсолютно не вредно. Напротив, поскольку состояние мышц глазодвигательной системы при разведенных осях, т.е. при смотрении вдаль, является наиболее благоприятным с физиологической точки зрения, то упражнения с разведением осей можно рекомендовать в качестве релаксационных. Например, НОУ-ХАУ Школы рационального чтения является использование изображений для разведения осей для релаксаций пользователями компьютеров (на экране компьютера через 20—22 минуты появляется очередное изображение для «объемного» видения) и использование «объемных» картинок читателями (через каждые 3—5 страниц, в зависимости от сложности текста, читателям предлагаются рисунки по читаемой теме, но выполненные с помощью компьютера для «объемного» видения).

Если оси направлены на ближний объект (Б), то ближний будет виден резко, а дальний (Д) — нерезко:

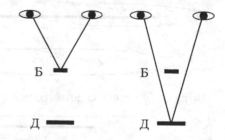

Если же оси направить на дальний объект, то ближний объект будет виден нерезко, а дальний — резко.

ЕЩЕ ЭКСПЕРИМЕНТ!

Скрутите лист бумаги формата этой книги в рулон. Диаметр рулона должен быть таким, чтобы вы могли держать рулон в руках, сомкнув пальцы (диаметр = 3—6 см).

Посмотрите на дальнюю стену комнаты, в которой вы находитесь сейчас. Выберите на стене какой-либо мелкий объект (точку, узор обоев, уголок картины и т.п.). Внимательно посмотрите на выбранный объект. Оцените то, что вы смотрите двумя глазами.

Продолжая смотреть на объект, поднесите руку со свернутой бумагой к глазу одним концом рулона, а другой направьте на объект наблюдения. При этом вы должны продолжать смотреть двумя глазами: один глаз будет видеть через трубку, другой — непосредственно.

Получается?

Да и не может не получиться! Но эксперимент не в этом.

Теперь расправьте кисть другой руки и, вытянув эту руку, медленно поднесите ко второму концу трубки так, чтобы кисть руки заслонила свободному глазу объект наблюдения. В итоге вы одним глазом через трубку будете смотреть на объект, а другим глазом — на кисть руки.

А теперь — об эффекте, который вы будете наблюдать в этом эксперименте.

Что вы видите?

Правильно! Вы видите ДЫРКУ В ЛАДОНИ, а сквозь эту «дырку» вы спокойно наблюдаете за объектом!

Удивительно, не правда ли?

Разъяснения. Этот эффект говорит о том, что вы, разведя оси видения (ведь вы направили взгляд на дальний объект и сфокусировали там), заставили себя видеть ладонь нерезко. А как вы обычно осознаете и оцениваете то, что видите нерезко? Никак! Те предметы, которые видятся нерезко (то, на чем не фокусируются две оси), НЕ ВОСПРИНИМАЮТСЯ СОЗНАНИЕМ И НЕ ОСОЗНАЮТСЯ, НЕ ОЦЕНИВАЮТСЯ КАК ЗНАЧИМАЯ ИНФОРМАЦИЯ. Следовательно, ваша ладонь не осознается как предмет наблюдения. Но полушарие мозга, которое должно было получать сигнал от заслоненного глаза (сигнал от левого глаза идет на переработку в правое полушарие мозга, а сигнал от правого глаза — в левое полушарие), «не может бездействовать» и поэтому «обращается» ко второму полушарию и «застает» там информацию об объекте, расположенном на стене. Этот сигнал «осмысливается и выдается» сознанию как собственная информация, «полученная» от собственного глаза. В итоге заслоненный глаз «ВИДИТ» то, что реально видит другой глаз (здесь слова даны в кавычках, так как их значения — условны).

Итак, оси взгляда могут разводиться, и раздельные сигналы от глаз могут «сравниваться».

ЕЩЕ ОДИН ЭКСПЕРИМЕНТ!

Посмотрите на изображенные ниже две точки.

Что вы видите?
Две точки.

А теперь возьмите лист плотной бумаги альбомного формата в руки. Приставьте этот лист нижним краем к оси симметрии этих двух точек (мысленно представьте линию, ровно разделяющую две точки, — это и есть ось симметрии) перпендикулярно к плоскости листа с точками. Удерживая руками лист, наклонитесь над листом с точками так, чтобы верхний край листа прикасался к носу и проходил по середине лба. При этом левый глаз будет видеть левую точку (находящуюся слева от листа), а правый — правую точку.

Продолжая смотреть каждым глазом на свою точку, через несколько секунд вы заметите, что 2 точки начнут сближаться.

Получается?

Если спокойно продолжать наблюдать, то точки сольются в одну и при этом вертикального листа не будет видно (лист может быть виден, но плохо, так как оба глаза вместе на этом месте «увидят» одну точку).

Получилось?

Теперь попробуйте выполнить то же самое, но с другим рисунком:

Что получилось на этот раз?

Верно, из четырех точек вы «мысленно сделали» две[1].

А теперь попробуйте выполнить же действия на словах поочередно:

Получилось?

Интересно, не правда ли? Будет еще интереснее, если вы на все три строчки слов посмотрите одновременно, мысленно сравнивая их друг с другом. Попробуйте.

Заметили эффект объемного изображения? Нижние строчки кажутся ближе.

Теперь то же самое проделайте с двумя квадратами.

---

[1] После нескольких тренировок вы сможете, если захотите, увидеть объемную картину из нескольких (6 или 5) точек: одна (две) точки будут «парить» чуть выше над другими. То же самое — со словами.

Здесь у вас должно получиться следующее изображение: на фоне одного большого квадрата (вы увидите один кадрат вместо двух!) на высоте нескольких миллиметров «парит» маленький квадратик.

Получилось? Теперь попробуйте выполнить это же действие на другом рисунке:

Вы должны увидеть изогнутую плоскость (подобие седловины).

Получилось?

Если на второй паре квадратов не получается (рисунок несколько сложнее, но интереснее), то попробуйте разделительный лист разместить между двумя парами сразу и, увидев объемное изображение на верхней паре, медленно перенесите взгляд на нижнюю пару. У вас все получится!

ПОСЛЕДНИЙ ЭКСПЕРИМЕНТ!

Посмотрите на представленные ниже картинки. Нужно смотреть на них не обычным способом, а со слегка разведенными осями.

Инструкция. Приблизьте лист с изображением к носу и пытайтесь смотреть каждым глазом на элемент, наиболее близко расположенный к соответствующему глазу. По-

держите лист с изображением 2—5 минут до тех пор, пока вы не привыкнете смотреть на расплывчатое изображение. Теперь начните медленно отодвигать от лица лист с изображением, продолжая смотреть каждым глазом на свой элемент. Здесь вам могут помочь следующие рекомендации:

— представьте себе, что изображение является некой причудливой «сеткой», сквозь которую вы смотрите в бесконечность (за круги);

— наряду с видением каждого элемента каждым глазом старайтесь оценивать то, что вы видите (боковым полем видения) ВСЮ картинку, оценивайте то, что вы видите края картинки.

Увеличивая поле восприятия, вы можете сократить количество фиксаций на строке до одной и перейти к так называемому вертикальному чтению. Для этого работайте с помощью расширяющих таблиц и выполняя специальные упражнения. Принцип их действия основан на сочетании постоянно действующей установки со специальной тренировкой.

С точки зрения психологии, а именно под этим углом зрения мы

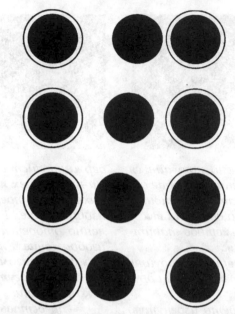

Вместо трех вертикальных рядов вы увидели два, не правда ли?

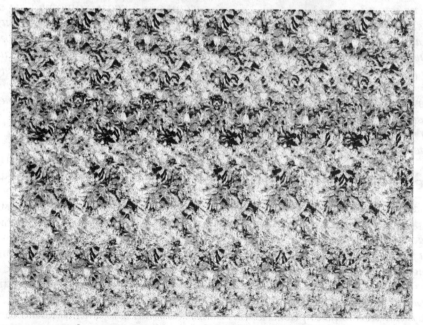

На поляне среди цветов на вас смотрит кролик с длинными ушами.

рассматриваем каждую из стоящих на третьем этапе обучения задач, это есть не что иное, как возрастающая способность мозга обрабатывать информацию, которая ранее находилась вне узкого поля восприятия.

Как добиться этого, как заставить свой мозг моментально обрабатывать быстро поступающую с печатного листа информацию? Как научиться за одну фиксацию взгляда охватывать большие куски текста, т.е. усваивать их с более широкого поля видения?

УПРАЖНЕНИЕ 41 *Нарисуйте на подушечках указательных пальцев обеих рук какие-либо буквы или цифры размером в 3—4 мм. А на среднем пальце правой руки — достаточно жирную точку.*

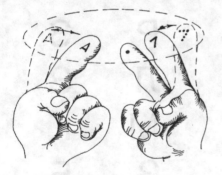

Вы можете начертить буквы или любые другие графические знаки указанного размера на концах узких полосок бумаги, картона, можно вырезать буквы из газеты и наложить их на подушечки пальцев. Принцип выполнения упражнения при этом сохраняется.

Исходное положение — пальцы с нарисованными фигурами обращены

к глазам на расстоянии, привычном для чтения; все три работающих пальца сдвинуты вместе, касаются один другого; взгляд зафиксирован в течение всего времени выполнения упражнения на точке, изображенной на среднем пальце. Выполняется упражнение следующим образом.

Слегка раздвиньте указательные пальцы обеих рук, расширив свое поле восприятия. Раздвиньте еще и продолжайте медленно отводить крайние фигуры от центральной точки до того момента, который окажется критическим, т.е. до тех пор, пока взглядом улавливаются, воспринимаются, а значит, осмысливаются крайние фигуры.

Не снимая фиксации взгляда с области центральной точки (при разведении пальцев оси видения будут сходиться все дальше и дальше от среднего пальца, за ним), сближайте пальцы, а затем снова начинайте их раздвигать, но уже на большее расстояние, чем в первый раз, тем самым опять расширяя свое поле восприятия так, чтобы продолжать видеть одновременно точку в центре и две фигуры по бокам — те, что нарисованы на указательных пальцах обеих рук. Снова сдвиньте, но так, чтобы расстояние от боковых фигур до точки теперь осталось чуть большим, чем при предыдущем сближении; и опять раздвиньте, но уже на большее расстояние, чем в прошлый раз, и т.д.

При выполнении упражнения следует осознать, что вы воспринимаете одновременно две крайние фигуры, т.е. осмысливаете их одномомент-

но. И если представить на мгновение, например, в целях самоконтроля, что эти фигуры заменены на какие-либо другие, то вы точно так же должны были бы осмыслить и их одновременно (т.е. увидеть мысленным взором, понять и запомнить, какие фигуры появлялись по бокам).

Каждый очередной раз расстояние, на какое фигуры разводятся в стороны, увеличивается, как и увеличивается при их сближении остающийся между ними промежуток. В конце выполнения упражнения указательные пальцы возвращаются в исходное положение, расстояние между ними сокращается практически

до нуля. И тут же можно начать следующий цикл.

Если вы будете выполнять это упражнение 2—3 раза в неделю по 2 минуты, то в течение одной-двух недель ощутимо увеличите поле восприятия.

УПРАЖНЕНИЕ 42 *Зафиксировав взгляд на выделенной букве, воспринимайте слова, состоящие из трех букв, целиком. При этом не смещайте взгляд от центра. Все слова написаны слева направо (а по вертикали — сверху вниз), симметрично относительно выделенной буквы.*

Б	Л		В		Р	З
Р	Т	**М**	Л		З	
Р	Г	**А**	М		К	
Л	Б	**Т**	З		Б	
Г	Ш		Л		К	С

Л	Л	К	Б	Г
К	Р	Д	М	Т
Р	Д	**О**	Л	Т
П	Т	М	Т	Л
Р	З	Т	М	Т

Ч	Ц	С	С	Ч
Л	М	Б	К	Н
Х	В	**Е**	С	К
Ф	В	Г	Л	В
М	Л	В	Х	К

К	М	Ж	Д	М
Т	Щ	Р	Р	П
Р	К	**И**	Т	Ф
Ш	П	С	Т	П
Р	Г	Р	Г	Д

Б	Л	В	Р	З	Л	Л	К	Б	Г
Р	Т	М	Л	З	М	Р	Д	М	Т
Р	Г	**А**	М	К	Р	Д	**О**	Л	Т
Л	Б	Т	З	Б	П	Т	М	Т	Л
Г	Ш	Л	К	С	Р	З	Т	М	Т

Ч	Ц	С	С	Ч	В	М	Ж	Д	М
Л	М	Б	К	Н	Т	Щ	Р	Р	П
Х	В	**Е**	С	К	Р	К	**И**	Т	Ф
Ф	В	Г	Л	В	Ш	П	С	Т	П
М	Л	В	Х	К	Р	Г	Р	Г	Д

УПРАЖНЕНИЕ 43 *Фиксируя взгляд примерно по центру каждой строчки воспринимайте слова целиком. При этом нельзя отводить взгляд налево или направо для считывания слога. Если на какой-то строке вы не сумеете воспринять слово, не смещая взгляда, поднимитесь на две-три строки выше и повторите попытку еще раз.*

```
        ШИ    ЛО
        МО    РЕ
        ВО    ЛЯ
        ПЕ    РО
        НО    ТЫ
        КЕ    ДЫ
        ВО    ДА
        РЕ    КА
          ВЕ  РА
          СЕ  РА
          МЕ  РА
          ПО  ЛЕ
          БУ  СЫ
          ДЫ  НЯ
          ПУ  ЛЯ
          ФА  РА
          ТЕ  ЛО
          КО  ФЕ
          ДЕ  ЛО
          ЗА  РЯ
          МЫ  ЛО
          ГО  РЕ
          ЛЫ  ЖИ
          КО  ЖА
        МО    ДА
        НО    РА
        РЫ    БА
        НО    ГА
        СА    НИ
        ВИ    НО
        СЕ    НО
        ПО    НИ
          ТЕ  МА
          ПИ  ВО
          ДЕ  ВА
          ПА  РА
          ПИ  ЛА
          РА  МА
```

ОК НО
ОЧ КИ
АР ФА
УН ТЫ
ЯД РО
ИГ РА
ИЗ БА
ЕЗ ДА
АЙ ВА
ИК РА

ИГ ЛА
ОС ПА
ЮР ТА
ЮБ КА
ЯШ МА
ЯЗ ВА
ЯР МО
ЯХ ТА
ОР ДА

АР КА
ЯЙ ЦО
ОЧ КО
ОВ ЦА
УР НА
ОХ РА
ЮН ГА
УШ КО
ЯВ КА

ЛУ НА
МУ КА
МЯ СО
МИ НА
БЕ ДА
ВИ НА
ДА ТА
ДО ЛЯ
РИ ЗА
ЖА РА
ДЫ РА

КОР	ШУН
КАР	МАН
ГАР	НИР
КОС	ТЕР
НАС	ТИЛ
РОС	ТОК
КАС	КАД
КАР	ТОН
МАР	КИЗ
БОР	ДЮР
КОЛ	ПАК
РАЗ	МЕР
СОЛ	ДАТ
КОЛ	ДУН
САМ	ШИТ
ВОС	ТОК
ВЕР	ТЕЛ
КОЛ	ПАК
РАЗ	БОЙ
ВОК	ЗАЛ
ПОД	НОС
ФОН	ТАН
НАС	ТИЛ
МАС	ТЕР
ЧЕЛ	НОК
БАР	КАС
РАЗ	ВОД
БОЛ	ТУН
БАЛ	КОН

КАР	КАС
КОР	ШУН
КАР	МАН
ГАР	НИР
КОС	ТЕР
НАС	ТИЛ
РОС	ТОК
КАС	КАД
КАР	ТОН
МАР	КИЗ
БОР	ДЮР
КОЛ	ПАК
РАЗ	МЕР
СОЛ	ДАТ
КОЛ	ДУН
САМ	ШИТ
ВОС	ТОК
ВЕР	ТЕЛ
КОЛ	ДУН
РАЗ	БОЙ
ПОД	БОР
ПОД	НОС
ФОН	ТАН
НАС	ТИЛ
МАС	ТЕР

УПРАЖНЕНИЕ 44 *Зафиксировав взгляд на звездочке, воспринимайте слова из четырех букв, расположенных на вершинах каждого четырехугольника. Слова могут быть написаны как по часовой стрелке, так и* против. Первая таблица — модельная. Она позволяет смоделировать умственное действие по одномоментному восприятию знаков, удаленных от точки фиксации.

```
                          Б
                          О
                          Л
        О   К   И     *   П   А   Ж   Е
                          А
                          Ш

                          Г
                          О
                          К
            Е   Ж   А     *   И   Л   О
                          М
                          А
                          П

                          Я
                          Р
                          А
        Н   Ы   Т     *   Н   А   Д
                          О
                          Б
                          Ы
```

УПРАЖНЕНИЕ 45 *Читайте коротꞏкие тексты, записанные в «мудрых деревьях», фиксируя взгляд трижды на каждой строке. Основной задачей этого этапа является формироꞏание навыка скачкообразного движеꞏния взгляда во время чтения. При* *этом как можно чаще мысленно оцеꞏнивайте все больше увеличивающееꞏся расстояние между точками фикꞏсации взгляда.*

Конечная цель — читать текꞏсты, фиксируя взгляд в центре кажꞏдой строки, усваивая их содержание.

Ищите таких людей,
разговор с которыми стоил бы
хорошей книги, и книги,
чтение которых стоило бы
разговоров с мудрым философом.
(Пьер Буаст)
Среди моря уже
готовых книг, непрерывно
вливающегося в библиотеки,
имеется немало книг плохих,
бесполезных. Вместе с тем
появляются превосходные книги
начинающих или малоизвестных
авторов, которые особенно
важно вовремя отметить
и рекомендовать широкому кругу читателей.
(С.И. Вавилов)

Кто сам и по-своему
еще не передумал
чужих или книжных дум,
тот и не должен считать их своими.
Запомнить — это совсем не то, что усвоить.
Кто сам не пережил
и не перечувствовал чего-то,
на того и никакая книга
не подействует в этом смысле.
Кто сам не хочет, того не научит хотеть
и никто иной со стороны.
Вот почему нам никто не поможет,
если мы сами себе не поможем.
(Н. А. Рубакин)

Для поддержания знания
какого бы то ни было языка,
даже   своего   родного,
нужно   время   от времени
иметь   практику   на нем.
Иначе   его слова   начнут
одно за другим забываться   вами.
Правда, забвение никогда не окажется полным.
Отголоски   забытых слов   всегда останутся
у вас где-то   в глубине   бессознательного,
и, начав   вновь   систематически
читать   на забытом   языке,
вы легко припомните   его   стушевавшиеся слова,
как я много раз   замечал   на самом себе.
(Н. А. Морозов)

Читать   всего   совсем
не нужно,   читать   нужно
только   то, что   отвечает
на возникшие   в душе   вопросы.
(Л. Н. Толстой)
Человека   делает
образованным лишь его
личная внутренняя   работа,
иначе   говоря, собственное,
самостоятельное   обдумывание,
переживание, перечувствование того,
что узнает   от   других
людей   или   из книг.
Книга   и вообще   чужие слова —
это   только   средство,
Они   вроде как   искорки,
зажигающие   в нашей   душе то,
что там   успело   накопиться
до   этого   времени:
в чьей   душе   еще ничего
не накоплено, там   нечему   и загораться, —
на того книга   и не   подействует...
Никогда   не   прекращайте
вашей   работы   над собой
и не   забывайте,   что,
сколько бы   вы   ни учились,

сколько бы вы ни знали,
знанию и образованию
нет ни границ, ни пределов.
Как бы ни были обширны у вас знания,
их нужно делать еще обширнее.
Как бы они ни были глубоки, —
они могут стать еще глубже...
Тот читатель, который,
читая какую-либо книгу,
думает, что ее содержание
вроде как с неба свалилось в готовом виде, —
не знает и не понимает самого главного.
Наука — это не есть добытое раз навсегда знание,
наука есть постоянное узнавание,
не только открытие, а открывание,
вечное накопление фактов, идей и методов.
(Н. А. Рубакин)

Не должна ли быть книга,
которую следует купить,
превосходна по своей мудрости
и красоте изложения? А превосходна та книга,
в которой все, от начала до конца,
изложено в стройном порядке, ничего не упущено,
ничего не добавлено некстати, в которой соблюдена
соразмерность отдельных частей, которая все
разъясняет и в которой все обосновано.
(Джироламо Кордано)

Всякое приятное чтение
имеет влияние на разум,
без которого ни сердце не чувствует,
ни воображение не представляет.
В самых дурных романах
есть уже некоторая логика
и риторика:
кто их читает,
будет говорить лучше
и связнее совершенного невежды.
К тому же нынешние романы
богаты всякого рода познаниями.
(Н.А. Рубакин)

Книга,   которая   имеет
столь важное значение для человека,
сколько-нибудь   тронутого   развитием,
так же, как   природа   и опыты жизни,
остается немою   не только   для того,
кто не умеет   читать,   но и для того,
кто, прочитав   механически   страницу,
не сумеет извлечь   из мертвой буквы   живой мысли.
(К. Д. Ушинский)

Плодом   неразборчивого   чтения
является преждевременная мечтательность,
пустая   и ложная   идеальность,
отвращение   от бодрой   и здоровой
деятельности,   наклонность   к таким
чувствам   и положениям   в жизни,
которые   несвойственны   детям.
Читать   дурно   выбранные
книги   хуже   и вреднее,
чем   ничего   не читать.
(В.Г. Белинский)

Я прошу   одной   милости,
хотя и   боюсь,   что мне
в ней   откажут: не судить
по минутному   чтению   о 20-летнем труде;
одобрять или осуждать всю мою   книгу целиком,
а не отдельные   ее фразы. Когда   хотят узнать цели
и намерения автора,   то где же всего   ближе искать их,
как не в целях   и намерениях   его произведения.
(Ш. Монтескье)

О произведении Лермонтова
«Герой   нашего   времени»
В.Г. Белинский в свое время писал:
«Сколько раз   читали   мы эту книгу,
пора бы уже   было   ей надоесть;
но   ничуть   не бывало:
все старое в ней так ново,   так свежо,
как будто мы   читаем   ее в первый раз
и предшествовавшие чтения   не только
не ослабили   эффекта   нового,
но еще   как будто   усилили его.
Так, доброе вино   от лет   становится
все   крепче   и букетистее».

134

Ищите таких людей,
разговор с которыми стоил бы
хорошей книги, и книги,
чтение которых стоило бы
разговоров с мудрым философом.

(Пьер Буаст)

Если мы читаем с тем,
чтобы приобретать знания,
мы должны читать медленно,
записывая все, чему научаемся из книги.

(Э. Фагэ)

Чтобы стряхнуть с себя
назойливые и несносные мысли,
мне достаточно взяться за чтение;
оно легко завладевает моим
вниманием и прогоняет их прочь.

(М. Монтень)

Ройся в книгах
при всяком удобном случае.
Старайся перелистать и пересмотреть
на своем веку возможно больше разных книг.

(Н.А. Рубакин)

Не знаю, как другие, а я радуюсь.
Лишь бы только читали!
И романы, самые посредственные,
даже без всякого таланта писанные,
способствуют некоторым образом
просвещению.

Надо, чтобы чтение
развивало ум, но не всякое
чтение действует таким образом,
а иное и совершенно наоборот:
притупляет умственные способности читающего
(Петрушка Гоголя, несомненно, глупел, читая книги),
дает часто ложные сведения,
ложный взгляд на вещи
и дурно действует на нравственность.
Читать — это еще ничего не значит;
что читать и как понимать читаемое —
вот в чем главное дело.

(К. Д. Ушинский)

Для поддержания знания
какого бы то ни было языка,
даже своего родного,
нужно время от времени
иметь практику на нем.
Иначе его слова начнут
одно за другим забываться вами.
Правда, забвение никогда не окажется полным.
Отголоски забытых слов всегда останутся
у вас где-то в глубине бессознательного,
и, начав вновь систематически
читать на забытом языке,
вы легко припомните его стушевавшиеся слова,
как я много раз замечал на самом себе.
(Н. А. Морозов)

Понятия и слова в науке
имеют свою историю,
свою живую длительность,
и без учета их изменения
во времени они будут
не понятны потомкам-читателям
тем больше, чем они древнее.
Такими классиками являются
произведения многих тысяч лиц,
начиная от Аристотеля или Архимеда,
Коперника или Галлилея и других
и до наших современников —
Д.И. Менделеева или И.П. Павлова.
Знакомство с ними в подлиннике
или в хорошем переводе
является мощным орудием
любого высшего образования,
умственной культуры народа...
Эти труды не должны забываться,
должны перечитываться из поколения в поколение,
прежде всего молодежью, научное понимание которой
слагается в студенческие годы.
(В. И. Вернадский)

ДВУХКАНАЛЬНОЕ ВОСПРИЯТИЕ

Поступление в мозг воспринимающейся во время чтения зрительной информации (слов, групп слов) можно условно разделить на два канала: первый — идущий через центральную область глаза, второй — через периферическую. Как взаимодействуют между собой эти каналы? Исследования психофизиологов, проведенные в Школе рационального чтения с использованием современной аппаратуры, показали, что периферическое восприятие медленного читателя практически бездействует, зато у читателей, владеющих навыками скорочтения, периферические области глаза работают очень активно (была построена картина периферических областей глаза с большей или с меньшей активностью). Причем было показано, что алгоритм обработки мозгом информации, идущей по периферическому каналу, отличается от алгоритма обработки мозгом информации, получаемой через центральный канал. Обычно информация, поступающая через периферию, служит ориентировкой для более точных последующих действий, в частности с помощью периферического видения удается предугадывать значения тех слов, которые еще не были охвачены центральным полем. Кроме того, информация, поступающая по периферии, ускоряет обработку информации центрального канала, как бы помогая заранее разобраться в предстоящей информации. Следовательно, можно было предположить, что предпочтительно проводить обучение читателей рациональному чтению путем развития периферического восприятия. Для этого были разработаны специальные развивающие таблицы и специальные упражнения. Практика показала, что результаты обучения ускоренному чтению стали выше.

УПРАЖНЕНИЕ 46 *Методом ритмических фиксаций прочитайте текст. Текст — разлинован. На каждой части текста делайте по одной фиксации. В конце текста даны вопросы. Постарайтесь усвоить текст на 60—70%.*

Какими мы хотим видеть новых домашних животных.

Так ли уж в наше время необходимо создавать новых домашних животных? Возможно, те, которые одомашнены, могут полностью удовлетворить наши требования к животноводству? И если мы хотим испытать какие-то виды в качестве домашних, то чем должны руководствоваться в поисках кандидатов на одомашнивание?

С каждым разом поле восприятия будет расти, и с каждой фиксацией вы будете схватывать все больше и больше букв. С какого-то момента поля восприятия начнут перекрываться[1].

Прежде всего одомашнивание для хозяйственных целей, а именно об этом пойдет речь, должно быть экономически выгодным. Нашему кандидату в домашние животные предстоит конкуренция со старыми домашними формами, многие из которых известны тысячелетия. Для этого он должен будет давать больше, чем старые формы, продукции на гектар луга или пашни или хорошо расти на бросовых землях или кормах, которые не подходят нынешним обитателям ферм. Или же, наконец, наш избранник должен давать людям нечто такое, чего от домашних животных до него еще не получали.

Далее переходите к трем фиксациям:

Очень трудно будущему домашнему животному превзойти корову по удойности, кур леггорнов по яйценоскости и представителей специализированных пород свиней по скороспелости. Однако думать о принципиально новых домашних животных можно и даже нужно. К примеру, в некоторые засушливые годы мы заготовляем для коров веточный корм. Древесные ветки ко-

_____

[1] После нескольких тренировок вы сможете, если захотите, увидеть объемную картину из нескольких (6 или 5) точек: одна (две) точки будут «парить» чуть выше над другими. То же самое — со словами.

ровы поедают неохотно. А вот для лося, пока еще не домашнего, побеги деревьев и кустарников — лучшая пища. К ней лось привык, и этот корм его организм легко усваивает. Лось — потенциальный потребитель малоценных неиспользуемых кормов — порубочных остатков. Можно представить, сколько дополнительных продуктов питания удалось бы получить на обширных пространствах нашей страны, если бы среди прочих сельскохозяйственных животных мы разводили этих естественных потребителей побегов ольхи, березы, осины. Чтобы удовлетворить потребности советских людей в полноценном сбалансированном питании, предстоит резко увеличить производство.

Далее читайте двумя фиксациями:

Есть общие принципы, которыми мы должны руководствоваться в поисках кандидатов на одомашнивание. За исключением отдельных видов пушных зверей, стоимость шкурки которых приближается к стоимости ювелирных изделий, наши новые домашние животные не должны быть хищниками. Это следует из экологического закона, который можно назвать «Правилом одной десятой». Суть его в том, что для того, чтобы нарастить один килограмм мяса, дикое животное в природе должно поглотить около 10 килограммов еды. Девять десятых энергии, заключенной в пище, идут на дыхание, которое есть не что иное, как медленное горение, или удаляются с продуктами обмена. И только одна десятая вещества и энергии пищи преобразуется в прирост массы животного. Конечно, это правило, как многие экологические правила, приблизительное. Есть более «экономичные» виды и менее; молодые особи используют пищу более эффективно, чем старые. Но в целом «Правило одной десятой» близко отражает то, что наблюдается в сообществах организмов.

Давайте представим себе последствия этого правила на надуманном, но показательном примере. Допустим, на траве, растущей на одном квадратном километре, могут прокормиться около 100 овец. Питаясь только овцами, на этой площади найдут еду только 10 волков, каждый той же массы, что и овца. Предположим, что существует сверхстрашный хищник, который может жить, поедая лишь волков. Тогда на том же квадратном километре еле-еле просуществует только одна особь этого гипотетического зверя массой с овцу.

В нашем примере пищевая цепь от овцы, первого потребителя накопленной травой энергии, до последнего надуманного хищника состоит всего из трех звеньев. Но в природе существуют куда более длинные пищевые цепи, например в водоемах. Вот почему издавна основу домашних животных составляют растительноядные организмы — самые первые потребители накопленных зелеными листьями пищевых веществ. Даже те собаки, представители отряда хищных, которые разводились или разводятся человеком для использования их в пищу (в Китае, Корее, Новой Гвинее), фактически оказываются растительноядными. И только по отношению к пушным зверям, дающим меха исключительной ценности — лисицам, песцам, соболям, норкам, — мы можем позволить себе роскошь кормить их мясом.

Большая часть домашних животных — это своеобразные машины по преобразованию растительных кормов в мясо, сало, молоко, яйца, шерсть и другие продукты, которые всегда будут необходимы человеку. Машины мы оцениваем по мощности, определяя время, за которое может быть выполнена та или иная работа, и по коэффициенту полезного действия, подсчитывая, какая часть сожженного горючего пошла на эту работу. Примерно так же можно подходить к оценке домашних животных или кандидатов в них.

Интенсивность обмена веществ, скорость протекания биологических процессов в организме близки представлениям о мощности. Вот на птицеферме выращивают цыплят-бройлеров — животных с высоким уровнем обмена веществ. За полтора-два месяца работа выполнена — произведено определенное количество птичьего мяса. Птиц можно забивать и на освободившееся место запускать новую партию цыплят. И так за год — 5—6 циклов.

Допустим, мы решили бы откармливать черепах — животных, кстати, обладающих отменным мясом. Уровень обмена у холоднокровных животных значительно ниже, чем у птиц. К тому же их состояние очень зависит от окружающей температуры. Даже при комнатной температуре, как это знают многие любители, которые их содержат, черепахи не дадут столько мяса, сколько куры за два месяца. Однако при вялых обменных процессах холоднокровные животные обладают перед теплокровными птицами и зверями одним большим преимуществом: им не нужно тратить энергию съеденной пищи на нагрев своего тела. И поэтому при одинаковом рационе холоднокровные дадут больше продукции, нежели теплокровные. Языком механизаторов можно сказать, что КПД у первых выше, чем у вторых, а мощность — ниже.

Вот эти два показателя — интенсивность обмена веществ и доля энергии поглощенной пищи, которая идет на прирост, — составляют основу «экономической энергетики» животных.

Интенсивность обмена веществ, в свою очередь, зависит от размеров животного, его массы. С уменьшением размеров тела интенсивность обмена у животных на единицу массы стремительно возрастает.

Выберите правильные ответы и отметьте их.

1. Для экономически выгодного одомашнивания нужно...

а) ломать территориальное поведение;

б) делать ставку на стадные и стайные виды.

2. Цель одомашнивания новых животных:

а) производство новых видов животных;

б) создание экономически выгодных домашних животных;

в) получение новых продуктов от домашних животных.

3. Сегодня домашние животные и птицы уже дают высокую продуктивность...

а) и поэтому о принципиально новых видах домашних животных думать не нужно;

б) однако о принципиально новых домашних животных можно думать и нужно;

в) однако о некотором улучшении пород домашних животных можно думать и нужно.

4. Какое животное хорошо усваивает малоценные неиспользуемые корма: побеги и ветки деревьев?

а) олень;

б) лось;

в) корова.

5. Одомашнивание животных поможет увеличить производство молока, мяса и яиц...

а) резко;

б) немного, но достаточно;

в) умеренно;

г) постепенно.

6. В поиске кандидатов на одомашнивание нужно руководствоваться...

а) индивидуальным подходом;

б) общими принципами.

7. Новые домашние животные не должны быть хищниками...

а) так как 1/10 энергии пищи хищника идет на прирост его массы тела;

б) так как 9/10 энергии пищи хищника идут на прирост его массы тела.

8. Экономическое «Правило 1/10»...

а) близко отражает использование пищи хищником;

б) идеально подходит всем сообществам организмов;

в) близко отражает то, что наблюдается в сообществах организмов.

9. Что мешает одомашниванию бурых медведей?

а) питание хищника;

б) медленные рост и малая плодовитость;

в) территориальное поведение и предельная нетерпимость к другим медведям.

10. Какие домашние животные составляют основу животноводства?

а) растительноядные;

б) травоядные;

в) хищные.

11. Большую часть домашних животных или кандидатов в них, преобразующих растительные корма в продукты, необходимые человеку, можно сравнить с машинами и оценить...

а) по времени, за которое может быть выполнена работа;

б) по скорости преобразования растительных кормов;

в) по мощности и коэффициенту полезного действия.

12. Интенсивность обмена веществ и скорость протекания биологических процессов в организме...

а) близки представлениям о мощности;

б) это мощность животного.

13. Какие животные обладают более высоким коэффициентом полезного действия, т.е. при одинаковом рационе питания дают больше продукции:

а) теплокровные;

б) холоднокровные.

14. Два показателя составляют основу «экономической энергетики» животных:

а) интенсивность обмена веществ и прироста;

б) доля энергии поглощенной пищи, которая идет на прирост и интенсивность;

в) интенсивность обмена веществ и доля энергии поглощенной пищи, которая идет на прирост.

15. С уменьшением размеров тела интенсивность обмена у животных на единицу массы:

а) увеличивается;

б) растет;

в) стремительно возрастает.

Сравните ваши ответы с ключом: 1а; 2б,в; 3а; 4б; 5а; 6б; 7а; 8в; 9в; 10а; 11в; 12а; 13б; 14в; 15в.

МЫСЛЕННОЕ ПРОГНОЗИРОВАНИЕ

Итак, выполняя предыдущие упражнения, вы за последние недели создали достаточные предпосылки для того, чтобы овладеть приемом, который еще более существенно повысит скорость чтения, позволит сделать при этом почти фантастический скачок вперед. Таким приемом является способность к домысливанию недочитанных, но предполагаемых слов, фраз и даже целых абзацев. При чтении с домысливанием широко используется навык негоризонтального перемещения взгляда, о чем будем говорить несколько позже.

В процессе чтения вполне возможно без ущерба для понимания сознательно не вчитываться в слова, фразы, абзацы, смысл которых ясен, очевиден и не требует обязательного их прочтения.

Приведем простейший пример, помогающий понять, как это происходит.

Есть тексты, в которых одно и то же слово приводится много раз: слово «наука» в тексте, рассказывающем о какой-либо науке, или слово «рекомендуется» в перечне каких-либо практических советов. Слово это пропускает при чтении любой человек, какой бы скоростью и техникой чтения он ни владел. Аналогично недочитываются целые фразы, которые не несут особой информации, их функция в тексте — связующая, или это вообще пустые фразы. Не дочитываются (но домысливаются) имена, фамилии, названия, которые повторяются в тексте большое количество раз (к примеру, при чтении литературоведческой статьи о каком-то писателе).

Способность к мысленному предвосхищению слов, выражений, фраз, находящихся в поле восприятия, но вне поля ясного видения, видимых боковым зрением при перемещении взгляда по произвольной негоризонтальной траектории по страницам текста позволяет игнорировать большое количество несущественной информации и несущественные слова, что в конечном итоге приводит к заметному сокращению затрат времени, а следовательно, повышению скорости чтения и при этом к повышению качества усвоения.

В этом заключается основная цель использования навыка к домысливанию.

На первый взгляд это может показаться парадоксальным: пропускаются слова, а качество усвоения улучшается. Тем не менее дело обстоит именно так, ибо за счет перераспределения внимания концентрация его на существенной информации повышается, поскольку несущественная игнорируется, не требует психических и физических усилий для ее усвоения; в результате времени на чтение затрачивается меньше, и объем поступающей в мозг информации за определенный отрезок времени возрастает, скорость чтения увеличивается.

В природе практически каждого человека заложена способность к мысленному предвосхищению — по отдельным деталям или фактам человек делает обобщенные выводы.

При этом, возможно, человек иногда ошибается. В этом нет нечего страшного, ведь на ошибках учатся.

Достаточно выявить в себе эту способность, развить ее, и результат не замедлит сказаться.

Особенно часто способность к мысленному предвосхищению текста при чтении развивается как бы стихийно, непроизвольно у людей определенных профессий, когда необходимо просматривать большое количество печатной литературы или равно любой другой информации — у литературных работников, издателей, педагогов, у научных работников и т.д.

Однако даже в тех случаях, когда способность к мысленному прогнозированию развивается по необходимости сама собой, читателям практически никогда не удается достичь в этом той степени эффективности, как при системном, сознательном овладении этим навыком чтения.

Если стихийно развивать навыки скорочтения, возможны физические, эмоционально-психические потери, так как читатель вынуждает себя с большим нервным напряжением в течение короткого времени обрабатывать, пропускать через себя много информации. Естественно, при интенсивном, но не рациональном чтении человек переутомляется, а это вредно скажется на его здоровье.

Прежде чем перейти к конкретным упражнениям, способствующим развитию мысленного прогнозирования при чтении, обратим внимание на два частных момента, тесно связанных друг с другом.

Чтение с постоянным прогнозированием или методом мысленного предвосхищения возможно лишь тогда, когда речь идет о материале по специальности или о хорошо знакомом, известном или любом нетрудном для усвоения тексте. Никакого мысленного предвосхищения не может быть, если, к примеру, человек впервые решил для ознакомления прочесть статью о генетике, или, скажем, о структурной лингвистике, или о каком-то еще малоизвестном ему предмете.

Необходимость определенной степени предвосхищения, догадки при чтении неизбежно активизирует работу мысли в гораздо большей степени,

нежели при обычном чтении. Отсюда понятно, что при использовании метода антиципации происходит процесс и более активного восприятия информации, что уже само по себе предполагает более высокий уровень усвоения материала, чем восприятие пассивное, малоэффективное по своей природе.

УПРАЖНЕНИЕ 47 *Приготовьте очень легкие тексты, напечатанные крупным шрифтом (напоминаем, что по содержанию тренировочные тексты должны относиться к тем областям знаний, в которых вы хотите научиться читать тексты рационально).*

Вырежьте самую узкую полоску бумаги и читайте, перекрывая части текста этой полоской:

Вынуждая читать тот или иной текст с определенными пропусками, волей-неволей вы заставляете себя видеть и понимать то, что изложено гораздо более, чем двумя-тремя словами, которые находятся в поле ясного видения. Это упражнение, развивая навык

антиципации, одновременно способствует и расширению поля одномоментного восприятия текста.

Если читаемый вами текст будет усваиваться легко, то вырежьте и положите на текст еще одну полоску бумаги:

Если и при таком перекрытии части текста качество усвоения позволит вам понять текст хотя бы на 30—50% (т.е. вы бы смогли ответить на 3—5 вопросов из 10), то вместо двух узких полосок бумаги вырежьте и положите одну или две широкие полоски:

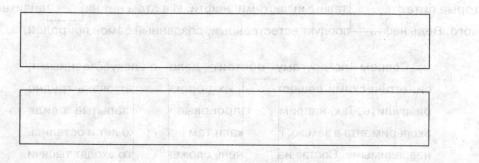

В первое время можете использовать полоски не прямоугольной формы, а в форме трапеций. С помощью таких полосок упражнение выполняется легче, так как первые строки (наиболее сложные для понимания) будут усваиваться легче.

Обычный лабораторный стол, на нем ряды плоских стеклянных посудин — чашек Петри. ... аполнены питательной массой. Ее желеоб... ная поверхность усеяна ... и крапинками. Это мощное оружие для бор... ы с нефтью в океане. В ка... таком «пятнышке» множество живых с...еств — микроорганизмов. ...х своеобразные требования к пище — одни... ...ольствуются скромным м... другие очень привередливы. Есть среди ... такие, которые питаются ...ставными частями нефти. И в этом нет ни... ...дивительного. Ведь неф... продукт естественный, созданный самой природой.

Совсем по-другому обстоит дело с искусственными, синтетическими вещест... Их порою ...ет очень трудно разрушить. Так, наприм... ...проновые ... зарытые в виде эксперимента в землю, ...кали там не...ко лет и остались невредимыми. Состав не...чень сложен ...го входят тысячи различных компонентов ... тяжелых п...инов до легких и летучих жидкостей и га... Такие разн...о химическим и физическим свойствам, они не так уж сильно отличаются один от другого. Все это — углеводороды.

Два лотка с водой, затянутые сверху пленкой нефти, находятся в одинаковых условиях. В ...их добавлены б... Сначала лотки по внешнему виду ниче... ...чаются. Но уже ...елю в том, где находятся бактерии, п... ...ивается, края ста... ...еровными. Со временем кружевное п... ...лжает уменьшат... ...ть с краев. Невидимки уничтожают н... ...теокисляющие м... ...измы широко распространены по все... Как и другие ми... ...очень выносливы и неприхотливы. Им... ...ы жара и холод, ... влажности и давления. До известных ... конечно. Много ... ...я, особенно в местах скопления нефти. Чем грязнее вода, тем лучше питательная среда, тем активнее растут и размножаются бактерии. Правда, в чрезмерно крепких растворах даже им не выжить — сказывается нехватка кислорода.

УПРАЖНЕНИЕ 48 *Приготовьте очень легкие тексты (или ранее прочитанные), напечатанные крупным шрифтом. По содержанию тренировочные тексты должны относиться к тем областям знаний, в которых вы хотите научиться читать тексты рационально. Вырежьте самую узкую полоску бумаги (смотри образец) и читайте текст боковыми областями поля восприятия (в основном — правым боковым полем восприятия). Взгляд при таком чтении должен фиксироваться на точке, как это показано на рисунке.*

В числе первых по...дали птицы. Слипшиеся от нефти перья больше не защищали от холода и ...ости. Пытаясь очистить их клювами, кайры, гагарки, тупики сотнями по...ли от отравления. Мор и опустошение пронеслись и среди обитателей в...у крабов отпадали конечности, они умирали. Роющие морские ежи и м...оски, высунувшись из песка, застывали навечно в неестественных позах ...бедственном положении оказались и рыбы мелководья, и жители морс... глубин. Черный прилив достиг побережья и опустошил береговую флор... фауну.

Для борьбы с черн... рибоем попытались применить детергенты — химические вещества, связ...ющие нефть. Сначала показалось, что море очищается — в маслянистой ...нке стали появляться разрывы, она съеживалась и уменьшалась в разме... На самом деле нефть, связанная детергентами, опускалась на дно или ...расывалась волнами на берег. К тому же оказалось, что детергенты и сами ...ь вредны для живых организмов. Они только увеличивали размеры трагед...

Других эффективны... редств у спасателей не было — люди оказались неподготовленными к по...ной катастрофе.

Если, работая с узкой полоской бумаги, вы не будете испытывать трудностей в качестве усвоения, то используйте более широкую полоску:

НЕГОРИЗОНТАЛЬНОЕ ПЕРЕМЕЩЕНИЕ ВЗГЛЯДА

Кроме умения обрабатывать одномоментно как можно больше информации, т.е. воспринимать текст с более широкого поля, чем это удавалось вам раньше, нужно выработать и закрепить психическую установку на возможность негоризонтального перемещения взгляда при чтении.

Как, в каком направлении мы перемещаем при чтении свой взгляд? Естественно, в горизонтальном, ответит каждый, но давайте подумаем, всегда ли это рационально.

При более подробном рассмотрении становится очевидной непродуктивность такого чтения во многих случаях. К примеру, если в конце строки имеется слово, априори вам известное, вы все равно, как правило, его прочитываете, иначе говоря, фиксируете на нем взгляд. Привычка читать все построчно и горизонтально предопределяет большее количество фиксаций взгляда на строке, чем это подчас требуется для достаточно полного усвоения содержания, а значит, и большие затраты времени, чем необходимо. Эта привычка отнюдь не способствует наилучшей, рациональной работе с текстом. Значит, горизонтальное перемещение взгляда при чтении не обеспечивает самого оптимального, эффективного восприятия информации за минимально короткое время.

Чтобы мозг воспринимал за определенную единицу времени больший объем информации, чтобы количество усваиваемой информации возрас-

тало, иначе говоря, чтобы наращивалась и совершенствовалась скорость чтения, необходимо раскрепостить собственное сознание и преодолеть наработанную с детства и закрепленную годами психическую установку на возможность только горизонтального построчного чтения, мешающую овладеть чтением негоризонтальным. Между тем нет необходимости затрачивать лишнее время для фиксации взгляда на несущественных мыслях, следует уменьшить количество фиксаций взгляда и высвободить время для поисков информации существенной, что позволит улучшить обработку читаемого, рационализировать ее.

Конкретизируем поставленную задачу и подчеркнем в ней необходимые для оптимальной рациональной работы печатного материала следующие моменты:

I. Нужно научиться читать текст необычным перемещением взгляда. Траектория движения взгляда при таком чтении подобна некоей слаломной кривой. Взгляд движется в вертикально-колебательном направлении. Нужно приучить себя осмысливать текст при таком чтении. Эту траекторию взгляда нельзя запланировать, каждый человек вырабатывает свой путь движения взгляда от строки к строке. Но при чтении каждого текста негоризонтальным перемещением взгляда увеличивается объем информации, обрабатываемой в единицу времени.

II. Процесс обработки информации должен протекать быстро, нужно приучить себя к мысли, что затраты времени на чтение страницы текста и достаточное усвоение могут быть незначительными, что скорость чтения может быть очень большой.

Как научиться этому непривычному и нестандартному перемещению взгляда при чтении, как сделать, чтобы этот оптимальный способ перемещения взгляда определялся вами подсознательно и стал насущной потребностью?

Упражнения с ТАБЛИЦАМИ, а также упражнения по развитию ПРОСМОТРОВОГО ЧТЕНИЯ будут тренировать вашу способность к нестандартному негоризонтальному перемещению взгляда.

УПРАЖНЕНИЕ 49 *На предлагаемых ниже таблицах вам предстоит проводить поочередный поиск всех чисел в возрастающей последовательности или букв в алфавитном порядке (в таблицах представлены все буквы алфавита кроме Ё, Ъ, Ь). Проводите поиск как можно быстрее, пытаясь уложиться в указанные*

нормы времени. Очередная буква или очередное число считаются найденными, если они были восприняты боковым или центральным взглядом после предыдущих букв или чисел. Допускается только вертикальное перемещение взгляда или луча внимания при поиске чисел или букв.

С каждым днем тренировок по таблицам ваше поле восприятия будет расширяться больше и больше.

В конечном итоге вы сможете проводить поиск чисел или букв с широким полем восприятия, охватывающим всю ширину таблицы. Взгляд при этом будет перемещаться только по вертикали.

Последовательность работы с таблицами следующая:

1. Потренируйтесь на таблице №1. Норматив: 40—100 секунд на таблицу. При поиске анализируйте колонки по одной. Проведите такой же поиск на таблице №2.

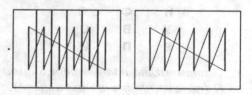

Сплошная линия показывает траекторию, по которой перемещается взгляд во время поиска, пунктирная линия указывает на мгновенное перемещение взгляда к началу новой траектории поиска.

2. Потренируйтесь на таблице №3. Норматив: 30—80 секунд. При поиске анализируйте по две колонки одновременно. Такой же поиск — на таблице №4.

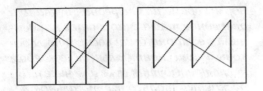

3. *Таблица №5. 20 — 60 секунд. По три колонки. Таблица №6.*

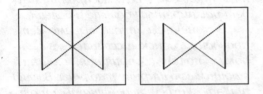

4. *Таблица №7. 20—50 секунд. При поиске анализируйте по три колонки одновременно, но фиксируйте взгляд, начиная со второй строки и доводя его до предпоследней. То есть в начале движения взгляд фиксируется на букве В, анализируя при этом 9 букв одновременно:*

Затем взгляд плавно переходит на П (поле восприятия покрывает У, В, С, Е, П, И, Г, О, Б) и далее — на О (воспринимаются Е, П, И, Г, О, Б, Щ, Д, З). Так же проработайте правую половину таблицы. Проведите такой же поиск на таблице №8.

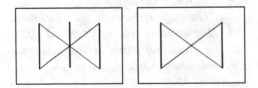

5. *Таблица №9. 20—40 секунд. Взгляд фиксируется на второй строке между У и М, воспринимая две верхние строки по всей ширине. Затем взгляд плавно скользит между буквами Е и Т (воспринимая всю строку) и останавливается между буквами Б и Л, анализируя оставшиеся две строки. После этого взгляд перескакивает в исходное положение между У и М (см. рисунок слева).*

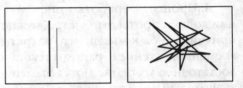

6. *Затем потренируйтесь на таблице №10 (см. рисунок выше справа). Взгляд фиксируется на точке. По таблице перемещается только «луч внимания». При этом часто происходит естественное небольшое смещение взгляда от точки. Во время поиска постоянно держите в поле внимания рамку таблицы.*

Примечания:

1. *Если вы при поиске случайно обратите внимание на одну из букв, следующих после искомой по алфавиту, то в нужный момент к этой букве можно переходить не по вертикали, а по любой косой линии или даже по возвратной.*

2. *Если вы заметите, что непроизвольно от восприятия отмеченной колонки переходите к восприятию более широким полем, то не нужно сужать поле восприятия до ширины колонки.*

3. *Если норматив по таблицам с*

данной шириной колонки регулярно выполняется или даже перевыполняется, прекращайте работу с такими таблицами и оставьте для работы лишь таблицы с более широкими колонками.

4. Если вы долго не можете найти очередную букву, прекращайте работу с этой таблицей и переходите к следующей.

5. Перед началом поиска чисел в течение 5—10 секунд следует повторять мысленно выработанные формулировки с абсолютной верой в их осуществление, и сила собственного внушения поможет реализовать их на практике.

6. Во время поиска нужно стараться удерживать предельную концентрацию внимания, понимать, что при выполнении этого упражнения расширяется поле восприятия, и стараться расширить его как можно больше.

7. Каждое найденное число надо фиксировать сознанием, понимать, что число найдено, не указывая на него, желательно без проговаривания. Время поиска должно быть ограниченным: 20—30 секунд на таблицу на начальном этапе выполнения упражнения и 15—20 секунд к концу курса обучения (у некоторых обучающихся время поиска вначале бывает 35—40 секунд, а в конце — 8—12 секунд!).

8. Для контроля скорости поиска можно использовать метроном. В первые дни, выполняя упражнения при установленной норме 30 секунд на одну таблицу, метроном надо поставить на 50 ударов в минуту. В

последующие дни при норме 20 секунд на таблицу метроном следует установить на 75 ударов в минуту. Каждый раз за один удар метронома должно быть найдено одно число. Если получается быстрее — прекрасно. В любом случае психическая установка будет: «Скорее! Скорее!» + «Поле восприятия — шире!»

9. Чтобы оценить, как перемещается ваш взгляд по таблице, не происходит ли его перемещения по горизонтали, не бегают ли ваши глаза беспорядочно по таблице в поиске чисел, попросите кого-нибудь сесть напротив вас и смотреть непосредственно в ваши глаза, минуя таблицу, которую вы держите перед собой. Этот простой способ проверки поможет вам устранить неточности в выполнении упражнения.

Поработав две недели с таблицами, вы убедитесь в универсальности этого упражнения, ибо его освоение способствует решению трех задач:

1) оно учит негоризонтальному перемещению взгляда;

2) существенно расширяет поле восприятия;

3) напряженными условиями выполнения (предельной концентрацией внимания, требованием находить числа максимально быстро, за очень короткое время) развивает внутреннюю потребность работать быстро, вырабатывает психическую установку на необходимость торопиться, частично способствуя тем самым решению третьей задачи, т.е. создавая почву для развития навыка антиципа-

ции (от латинского anticipatio, что значит предвосхищение, предугадывание, в данном случае недочитанного текста). Развитие же навыка антиципации максимально активизирует технику чтения.

Обретенная способность к негоризонтальному перемещению взгляда, соединенная с преимуществами, которые дает использование расширенного поля восприятия, значитель-

но усовершенствует вашу технику чтения и будет положительно сказываться при обработке любой печатной информации.

Вы научитесь быстро находить существенную информацию скользящим движением глаз сверху вниз по странице, научитесь перемещать взгляд более рационально, привыкнете к тому, что скорость чтения может быть очень большой.

СТРАТЕГИИ ЧТЕНИЯ

Каким вам представляется рациональное чтение? Видимо, таким, когда работа с большими объемами информации, с большим числом книг проводится с максимальной продуктивностью и с минимальными затратами усилий и времени. Понятно, что работа с книгами должна начинаться с психологической подготовки. Путем просмотра первой книги нужно определить для себя, читать ее или отложить в сторону, целесообразно или нет над ней работать, а если целесообразно, то по какому классу нужно проводить чтение: либо углубленно изучить всю книгу, либо поверхностно просмотреть ее, прочитывая лишь отдельные части, либо отыскивать в ней необходимый раздел и прочитать этот раздел выборочно, либо бегло отыскать в книге нужные факты и мысли. В соответствии с поставленной перед собой задачей желательно избрать конкретную стратегию чтения и проработать книгу запланированным образом. Затем перейти ко второй, к третьей книге и т.д. При

этом желательно, чтобы стратегии чтения были заранее отработаны.

Исследования психологов, не являющихся сторонниками обучения скоростным видам чтения, но признающих реальность существования читателей с высокими скоростями чтения, показали, что одной из главных основ навыков скоростного чтения является СФОРМИРОВАННАЯ (заметьте, не врожденная, а приобретенная в результате практических занятий) ПРИВЫЧКА ЧИТАТЬ ПО ЧЕТЫРЕМ СТРАТЕГИЯМ ЧТЕНИЯ:

1. Просмотровая стратегия чтения.

2. Аналитическая стратегия чтения.

3. Выборочная стратегия чтения.

4. Поисковая стратегия чтения.

Следовательно, для того, чтобы научиться читать быстро, нужно СФОРМИРОВАТЬ УСТОЙЧИВУЮ ПСИХИЧЕСКУЮ УСТАНОВКУ на ЧТЕНИЕ ВСЕХ ТЕКСТОВ ТОЛЬКО ПО ОДНОЙ ИЗ ЧЕТЫРЕХ СТРАТЕГИЙ (и никак иначе!).

ТАБЛИЦЫ БУКВ

б	о	г	з	ж	э
п	т	а	ю	м	р
х	л	ф	е	щ	я
в	с	д	н	ы	й
к	у	ц	ш	ч	и

ы	о	у	г	ж	т
д	ф	х	з	ц	п
ч	ю	э	м	ш	с
я	й	щ	к	а	л
в	б	и	р	е	н

3

п	ц	х	в	о	т
ч	л	с	г	а	к
д	з	ю	у	е	н
ж	р	щ	и	ы	э
м	ш	я	й	ф	б

4

с	ю	ч	а	щ	л
м	э	ш	й	я	к
н	в	и	е	б	р
о	х	п	т	ж	ц
г	д	ф	у	ы	з

т	о	а	х	ц	п
ж	s	г	c	п	р
н	в	у	ю	з	д
э	ы	и	ш	р	ж
д	ф	Ň	я	ш	м

п	ш	ь	н	ю	o
ж	в	Ň	ш	э	м
q	д	э	n	в	н
ц	ж	т	п	х	o
s	н	у	ф	д	ц

к	й	я	ш	м	э
е	и	щ	р	ж	н
ы	у	г	ф	д	з
б	а	ю	с	л	ч
т	о	в	х	ц	п

к	ф	д	н	щ	а
у	е	ю	з	п	б
в	ы	ц	ч	г	о
и	ш	х	л	р	т
й	ж	я	э	м	с

й	ф	я	а	ы	н
у	в	с	х	к	ж
е	п	и	ю	ш	ч
г	о	б	л	т	р
щ	д	з	ц	м	э

э	й	я	ш	м	к
и	е	щ	н	ж	р
у	ы	г	ф	з	д
а	б	ю	ч	л	с
о	т	п	х	ц	в

Н	Я	з	R	Ф	Ň
Ж	Ж	Х	Э	В	У
Р	Ш	Ю	N	П	ө
Ч	Т	Л	Ө	О	ſ
З	М	И	з	Д	Ш

B

Ж	М	Ш	R	Ň	З
Ч	Ж	Н	Ш	ө	N
Д	З	Ф	Г	Ы	У
Э	Л	Р	Ю	ө	В
В	Ц	Х	П	Т	Ө

ю	с	ч	р	щ	а
ш	э	у	м	к	я
в	н	е	т	п	и
ц	х	б	л	ж	о
з	д	ф	й	ы	г

ы	о	у	т	ж	г
п	ф	х	з	ц	д
м	ю	э	• с	ш	ч
л	й	щ	к	а	я
н	б	и	р	е	в

ТАБЛИЦЫ ЧИСЕЛ
Работайте так же, как с «Таблицами букв ».

1

12	1	9	21	18	10
28	19	30	24	15	11
7	13	25	3	29	17
27	2	8	22	4	16
5	26	20	6	23	14

2

1	22	9	30	13	27
17	12	15	7	10	23
16	20	3	5	6	29
25	4	26	19	11	24
2	21	28	14	8	18

3

8	19	15	18	5	23
6	22	3	24	20	27
14	16	17	11	7	10
21	28	2	30	4	25
26	9	13	29	1	12

4

14	12	26	2	8	17
19	28	5	29	3	22
20	30	6	15	11	21
18	9	1	16	7	10
25	24	13	23	4	27

14	29	5	23	2	12
26	11	9	27	7	25
8	22	15	21	10	24
17	3	19	1	20	18
6	13	4	16	28	30

12	29	5	23	2	14
26	11	9	27	7	25
8	22	15	21	10	24
17	3	19	1	20	18
6	30	4	16	28	13

5.

14	2	23	5	29	12
25	7	27	9	11	26
24	10	21	15	22	8
18	20	1	19	3	17
13	28	16	4	30	6

6.

14	2	23	5	29	12
25	7	27	9	11	26
24	10	21	15	22	8
18	20	1	19	3	17
13	28	16	4	30	6

17	12	26	2	8	14
19	28	5	29	3	22
20	30	6	15	11	21
18	9	1	16	7	10
27	24	13	23	4	25

4	29	15	25	5	18
6	23	3	30	28	27
14	16	17	11	7	10
21	24	2	20	8	22
26	9	13	19	1	12

1	22	9	30	13	17
27	12	15	7	10	23
16	20	3	5	6	29
25	4	26	19	11	24
2	18	28	14	8	21

16	24	12	3	8	29
14	26	18	6	1	10
28	4	25 • 30		9	20
7	15	5	21	2	17
23	11	22	19	27	13

Просмотровое чтение — это предварительное чтение, на основе которого определяется, стоит ли читать текст, определяется класс, к которому относится текст, и заодно запоминается общее содержание текста вместе с наиболее важными фактами и мыслями текста. Руководствуясь принадлежностью текста к тому или иному классу, вы вспомните программу чтения текста, соответствующую этому классу. Чтение по третьему классу можно отнести к просмотровой стратегии чтения.

Выработав стратегию просмотрового чтения, вы сможете «окинуть текст единым взором», представить его структуру, уяснив его идею, составив план будущего углубленного изучения: на что надо обратить особое внимание, а что можно и опустить без потери для смысла текста. Просмотровым чтением особенно удачно пользуются те, кто хорошо усвоил и отработал до автоматизма навык антиципации — мысленного предугадывания текста. Этот навык очень значим для выработки стратегии просмотрового чтения. Тем читателям, кто не владеет навыками просмотрового чтения, приходится во время ознакомления с текстом просматривать практически все строчки текста для того, чтобы составить представление о содержании текста. Читателям, владеющим хотя бы навыками мысленного прогнозирования, удается составлять общее представление о тексте путем выборочного прочтения частей текста и дальнейшего домысливания того, что было не усвоено. Читатели, владеющие навыками просмот-

рового чтения, не только используют навыки мысленного прогнозирования, но и умеют разумно (рационально) с точки зрения затрат времени и усилий перемещать взгляд по тексту.

На основе этой функциональной программы мозг руководит дальнейшим процессом чтения. Эта программа реализуется в сложной траектории движения взгляда. Учеными доказано, что чем сложнее траектория взгляда при чтении, тем лучше усвоение текста.

У тех, кто отработал ускоренное чтение, а это те, кто добросовестно обучался, выработаны такие навыки, которых не может быть у тех, кто специально этими проблемами не занимался. На практических занятиях при выполнении упражнений вы формируете эту функциональную программу стратегии чтения, мозг руководит выстраиванием траектории движения взгляда. В течение двух недель тренировок вы привыкнете к избранной стратегии чтения, наработаете автоматизм в работе с текстом, а закрепить эту функциональную программу — дело практики.

Стратегия **аналитического чтения** определяется целью, стоящей перед читателем, получить твердые знания о предмете чтения и изучения, а эта задача предполагает чтение и осмысление прочитанного, переработку полученной информации в фундаментальные знания, которые можно припомнить всегда. Остается добавить, что если вы избрали стратегию углубленно-аналитического чтения, постарайтесь не снижать скорость чтения. Предлагаем читать:

1) научно-популярную литературу со скоростью 1500—3000 знаков в минуту;

2) периодику (газетный текст) – 3000—5000 знаков в минуту;

3) учебный или научный тексты – 200—600 знаков в минуту.

Стратегией просмотрового чтения вы пользуетесь для того, чтобы узнать, о чем говорится в тексте и где расположена наиболее значимая для вас информация. Но еще нужно научиться, не теряя времени на обработку несущественной информации, читать тексты с применением стратегии **выборочного чтения**. Эта стратегия поможет вам отыскать нужную информацию, узнать, например, какие новые публикации появились по вашей специальности.

Выборочное чтение осуществляется в 2-скоростном режиме: текст, не несущий существенной информации, просматривается бегло, очень быстро, без запоминания, без анализа и выводов — до существенной информации. По существенным словам и словосочетаниям вы оцениваете значимость информации. Далее вы применяете иную стратегию чтения, сходную со стратегией аналитического чтения, здесь возможно и построчное движение взгляда, и возвратные движения и т.п. Необходимо максимально сконцентрировать внимание, чтобы запомнить этот текст, осмыслив его.

Стратегия **поискового чтения** поможет вам быстро найти ответ на конкретный вопрос.

При таком поиске вы ставите перед собой цель: найти интересующую вас информацию. В отличие от выборочного чтения вы не оцениваете значимость информации, вы просто ведете поиск. Для поискового чтения используется двухскоростной режим, подобный выборочному чтению.

Попробуйте проанализировать и запомнить то эмоциональное состояние, которое возникает у вас при таком чтении, — состояние максимальной реализации всех ваших способностей, приподнятое состояние, в котором текст усваивается при больших скоростях наилучшим образом. Если вы испытываете трудности, избрав стратегию поискового чтения, это означает, что у вас узкое поле восприятия и вам следует еще поработать над упражнениями, расширяющими поле одномоментного восприятия текста.

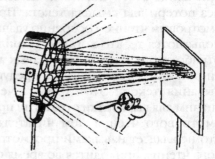

У нетренированного читателя поле одномоментного восприятия текста равно полю ясного видения. Но если учесть, что мы видим на 120—160° вокруг себя, а поле ясного видения составляет лишь 5— 6°, то становится ясно, что следует совершенствоваться, воспринимая в одно мгновение все больше и больше текста, и вы добьетесь успеха в поисковом чтении. Но простое умение воспринимать зрительную информацию с широкого поля может и не перейти в навык расширения поля восприятия при чтении. Необходимо дополнительно выработать установку (привычку) на расширение поля восприятия при чтении. Это элемент квалифицированного чтения. Чтобы расширение поля восприятия во время чтения стало привычкой, выработался такой навык, всегда во время поискового чтения нужно не только видеть абзацы, смысловые блоки, смысловые целостные единицы, но и помнить о необходимости расширении поля восприятия.

Вообще расширение поля одномоментного восприятия текста, а вместе с тем и расширение поля ясного видения — серьезная задача завершающего этапа обучения рациональному чтению. Ваша задача — достичь одномоментного восприятия целой строки текста при помощи антиципации и отработанного расширенного поля восприятия текста. Расширению поля одномоментного восприятия текста, а вместе с тем и развитию стратегии поискового чтения будет в немалой степени способствовать развитие читательского лексикона.

Теперь перейдем к практической работе по формированию и развитию стратегий чтения.

ПРОСМОТРОВОЕ ЧТЕНИЕ

Для отработки стратегии просмотрового чтения необходимо решить следующие задачи:

1. Отработка негоризонтального перемещения взгляда при чтении текстов в быстром темпе с установкой на достаточно полное усвоение содержания.

2. Расширение поля восприятия текста (для этого надо научиться воспринимать и обрабатывать информацию периферическим видением, а не центральным видением, на котором концентрируется внимание при обычном чтении).

Для отработки просмотровой стратегии чтения вам следует подготовить материал. Наиболее пригодны для выполнения упражнения книги, брошюры небольших форматов (30—45 печатных знаков в строке). При этом тексты должны быть:

— достаточно легкими для усвоения;

— интересными по содержанию;

— достаточно большими по объему (не менее 3 — 5 страниц каждый).

В текстах должно быть как можно меньше прямой речи, сложных логических выводов и вообще не должно быть графиков, формул, цифр, названий, имен и т.п. фактического материала.

Желательно так подбирать тексты для упражнения, чтобы одна треть всего объема подготовленной литературы была набрана узкими колонками (28—30 знаков), еще одна треть — средними (30—40 знаков), и остальные — самыми широкими колонками текста (35—45 знаков в строке), т.е.

чтобы имела место тенденция к увеличению ширины колонок текста.

Общий объем текстов для тренировок следующий:

— первая часть — около 200 тыс. знаков, т.е. примерно около 20 стр. периодических изданий газет, журналов или 100 — 200 стр. брошюр;

— вторая часть — не менее 400 тыс. знаков (т.е. 300 — 400 стр. брошюр);

— третья часть — 300 тыс. знаков (около 200 страниц книг небольшого формата).

По возможности каждый текст должен быть достаточно большим по объему, чтобы за один прием можно было прочитать большое количество страниц.

Каждое разовое чтение просмотровой стратегии проводите в течение 5 — 10 минут.

Непременным условием выполнения этого упражнения является создание предварительного настроя на очень быстрое чтение и обязательное ограничение времени чтения одной страницы. Недооценка необходимости психологического настроя снизит результативность выполнения упражнения.

Освоить навык просмотрового чтения можно только в том случае, если вы будете придерживаться правила: категорически запрещается затягивать время чтения отдельных страниц, даже если вы что-то не успели понять или дочитать, просмотреть, все равно переходите к следующей странице по истечении положенного времени. В противном случае это не будет просмотровым чтением, т.к. не будет сверхактивной работы мозга на предельных возможностях, максимальной концентрации всех ваших способностей для сверхскоростного чтения и усвоения.

УПРАЖНЕНИЕ 50 *За 1—3 секунды просмотрите страницу подготовленного текста, определяя насыщенность ее информацией и используя навык негоризонтального перемещения взгляда, быстро найдите первую существенную мысль на странице, затем максимально быстро найдите вторую и все остальные существенные факты и мысли на странице, стараясь молниеносно уловить общий смысл текста.*

Оценка информативной насыщенности необходима для того, чтобы выбрать соответствующий этой насыщенности уровень концентрации внимания. Определив на странице места с важными фактами, во время непосредственного чтения страницы особо концентрируйте внимание на этих фактах и, найдя их, тут же переходите к углубленному их прочтению привычным горизонтальным перемещением взгляда, т.е. к обычному построчному чтению. Усвоив существенную информацию, снова быстро переходите на негоризонтальное перемещение взгляда по слаломной кривой.

Старайтесь в каждом абзаце находить одну основную мысль — обязательно и несколько существенных второстепенных мыслей — желательно.

Найденные существенные мысли

считывайте построчно горизонтальным перемещением взгляда, но как можно быстрее. Здесь допустимы возвратные движения взгляда к началу текста, передающего существенные мысли для углубленного их осмысливания.

Максимально используйте возможность домысливания текста и его широкого охвата вниманием.

Усвоив содержание страницы (или не усвоив, если вам так покажется), *перейдите быстро к следующей странице.*

Экономьте время буквально на всем. Не зевайте. Держите наготове руку для переворачивания страницы. Считывание существенной информации проводите за предельно ограниченное время.

Давайте рассмотрим пример перемещения взгляда по тексту при просмотровом чтении следующего текста:

Ученые * различают три * вида речных * бобров.

Бобр * восточный когда-то встречался * повсеместно вдоль речек на значительной * части территории России, * Польши, Норвегии, * Швеции, Монголии и Северного Китая.

* Российский зоолог Л.С.Лавров подразделяет * этот вид на подвиды: * норвежский, белорусский, восточноевропейский, западносибирский, тувинский и монгольский. К началу нашего века бобр * восточный был почти полностью * истреблен. Лишь кое-где * в лесной глуши * сохранялись очень редкие единичные * поселения этого зверя. В настоящее время ареал * бобра быстро * восстанавливается.

Обратите внимание на следующие особенности:
— взгляд фиксируется в центре *смысловых блоков или групп слов, связанных друг с другом по смыслу;*
— взгляд может перемещаться

179

по строке не только слева направо, (согласитесь, что не имеет значения перестановка «бобр восточный встречался повсеместно» или «встречался повсеместно бобр восточный»);

— небольшие, но допустимые для просмотрового чтения потери (20—40% от полного содержания текста) неизбежны при таком чтении (например, не было усвоено то, что бобр встречался «когда-то», хотя то, что он встречался в прошлом времени, устанавливается по глаголу «встречался»);

— узнав, что бобр встречался на значительной части какой-то территории, читатель тремя фиксациями узнает об этих территориях (возможно, теряя из списка Монголию);

— далее становится известно, что кто-то «российский» подразделяет вид восточного бобра на подвиды по месту их обитания. Для этого достаточно проскользнуть взглядом над двумя строчками.

Со стороны такое чтение может выглядеть судорожным перелистыванием страниц текста. При этом может показаться, что текст вы почти не запоминаете. Но это только кажется. Как только начнете отвечать на вопросы, вы убедитесь, что запомнили и немало.

В течение всего времени работы с текстом требуется максимальная концентрация внимания, а также максимально возможное расширение поля восприятия.

Запомните это состояние предельного умственного эмоционального накала и постарайтесь удержать его на протяжении всего времени выполнения упражнения. Результат не замедлит сказаться.

При просмотровом чтении скорость достигает 6—12 тыс. знаков в минуту. Такая огромная скорость вполне резонно вызывает у многих сомнение в хорошем качестве усвоения. Однако при проверке оказывается, что текст усвоен достаточно хорошо! Более того, при просмотровом чтении обнаруживается на первый взгляд парадоксальная взаимосвязь: качество усвоения текста повышается с нарастанием скорости чтения. Происходит это потому, что при использовании отработанного навыка домысливания пропускаемых при чтении слов и выражений игнорируется большое количество несущественной информации, что в конечном счете приводит:

1) к значительному сокращению затрат времени, а следовательно, к повышению скорости чтения;

2) к возможности повышения уровня концентрации внимания на существенной информации за счет перераспределения внимания, т.е. к повышению качества усвоения;

3) в возбуждение ваш мозг во время просмотрового чтения, что создает благоприятные условия для наилучшего запоминания.

Сначала в первые два-три дня отработки навыка просмотрового чтения на очень высоких скоростях перемещения взгляда качество усвоения текста будет невысоким — 10—30% всего содержания. В последующие дни оно возрастет в среднем примерно до 40%, а к концу обучения достигнет 60—80%. Это при минимальной скорости 100 знаков в секунду!

Закономерны вопросы, каков критерий эффективности выполнения упражнения, как оценить, правильно ли оно делается.

На 1000 знаков должно затрачиваться не более 10 секунд. Исходя из этого, вы можете определить время чтения любого объема текста.

Еще один критерий: если по окончании чтения нескольких страниц вы в состоянии ответить не менее чем на 2—3 вопроса к каждой странице, то усвоение идет правильно, упражнение выполняется верно.

Способов установления качества усвоения достаточно много.

Контроль усвоения содержания текста производится путем мысленного пересказа, пересказа вслух, краткого письменного изложения содержания с последующей проверкой полноты и правильности какой-то одной части прочитанного или всего прочитанного в целом. Можно проверять себя повторным перечитыванием отдельно выбранной страницы. Можно попросить члена своей семьи проверить качество усвоения текста. Лучший способ отработки навыков просмотрового чтения — занятия вдвоем. Пусть ваш напарник внимательно ознакомится с текстом и, как только вы окончите чтение, просмотр текста, задаст вам конкретные вопросы по материалу текста. Одна минута дается вам для того, чтобы вспомнить только что прочитанное и сосредоточиться. Степень усвоения вами содержания текста подсчитывайте по десятибалльной шкале: за полный ответ ставится 10 баллов, за частичный — столько, сколько вам поставит контролирующий, за отсутствие ответа или неправильный ответ — 0.

Теперь по этой же шкале вы должны оценить себя сами. Затем сравните сумму набранных баллов в своей собственной оценке и оценке вашего экзаменатора.

Если ваша собственная оценка сильно занижена, значит, вам надо вырабатывать в себе большую уверенность.

Если при проверке окажется, что процент усвоения у вас слишком высок, более 60%, то это означает, что вы не используете просмотровую стратегию чтения, т.е. не читаете на предельно возможных для себя скоростях. В этом случае надо убыстрять чтение, используя навык мысленного прогнозирования. Следует твердо уяснить, что если на начальном этапе усвоено больше 60%, то это не стратегия просмотрового чтения, а просто чтение с высокой скоростью.

Если же, напротив, обнаружится, что у вас низкий коэффициент усвоения содержания, а это огорчает, лишает уверенности в себе, то надо пересмотреть тексты, с которыми вы работаете. Возьмите более простые тексты. Поработав некоторое время с простыми текстами, можете вернуться к более сложным.

Тексты не должны содержать большого количества дат, названий, фамилий и т.п. На более легких текстах результаты будут выше, и у вас появится необходимая уверенность в своих способностях. Использование более легких текстов в данном случае явление временное, специальный прием, который обнаружит вашу способность читать и хорошо усваивать материал просмотровой стратегии чтения. При чтении с использованием стратегии просмотра преодолевается психологический барьер недоверия к возможности читать быстро и с хорошим усвоением, растет уверенность в эффективности быстрого чтения, и в итоге вырабатывается привычка читать быстро, качественно. В этом смысл стратегии просмотрового чтения.

Но скорость — все же не самоцель. Основным при просмотровом чтении остается то, что вы выносите при чтении, что остается в вашей памяти, как используются впоследствии полученные знания.

Примерно со второй недели выполнения этого упражнения рекомендуется во время просмотрового чтения делать выписки существенных фактов, причем не глядя, почти механически, не затрачивая на это специального времени. Это, безусловно, поможет усвоению.

УПРАЖНЕНИЕ 51 *Ежедневно (без перерывов!) за один присест прочитывайте 10 (20) страниц легких текстов за 3 (6) минут просмотровой стратегией чтения. По окончании чтения за 1 минуту вспомните содержание прочитанного текста.*

Не огорчайтесь, если качество усвоения в первые дни выполнения упражнения будет практически нулевым.

Суммируя изложенное, отметим, что упражнение по отработке навыков просмотрового чтения является мощным инструментом для одновременного развития всех тех приемов и навыков рационального чтения, которые были предложены вам для освоения на предыдущих занятиях.

Индивидуальные способности, тип вашего темперамента, наконец, степень вашего овладения навыками рационального чтения определяют в конечном итоге степень достигнутых вами успехов. Но в любом случае для каждого, освоившего этот метод, увеличение скорости будет значительным и существенно поможет в работе и учебе.

АНАЛИТИЧЕСКОЕ ЧТЕНИЕ

Этот раздел будет маленьким, так как навыки аналитического чтения — чтения с глубоким пониманием, анализом содержания были рассмотрены выше. Сейчас речь должна пойти лишь о повышении скорости аналитического чтения. Что для этого нужно? Только читать. Читать вдумчиво, стараясь понять и запомнить как можно больше, но и постоянно помня о том, что читать нужно как можно быстрее.

Последующие упражнения для формирования навыков просмотрового и поискового чтения помогут вам в развитии навыка аналитического чтения также, ведь любое основательное чтение содержит элементы просмотра частей текста (например, перед их прочтением) и элементы поиска (например, при повторном перечитывании тех частей текста, которые требуют переосмысления).

УПРАЖНЕНИЕ 52 *Прочитайте текст, используя аналитическую стратегию чтения: анализируя информацию, выявляя главное. Не забывайте связывать основные мысли абзацев. А мы поможем вам настроиться на качественное восприятие.*

Сейчас вам предстоит прочитать текст о том, что:
— *существуют* программы поведения животных, передающиеся по наследству;
— *насекомые могут обладать* элементами предвидения.
До начала чтения попробуйте *сделать свои предположения насчет того, как:*
— вырабатывается программа выживания;
— выживает потомство животных в условиях опасностей.

А еще речь пойдет о том, что нашими предками были существа, умевшие распознавать признаки надвигавшихся перемен, включать новое знание в свои программы, существа разумные и гибкие, понимавшие, что завтрашний день может быть непохож на сегодняшний.

Как вам кажется, умели ли они предвидеть будущие события или нет?

Теперь прочитайте текст и выясните мнение автора по этим вопросам. Во время чтения настойчиво думайте о ваших предположениях и старайтесь использовать каждую мысль автора, каждый факт для поддержки вашей позиции.

Перед началом чтения текста еще раз перечитайте свои предположения.

КРЕНДЕЛЯ В АКВАРИУМЕ

Т. Яровая

У большинства насекомых дети не встречаются с родителями, учиться не у кого и некогда; жизнь коротка, опасностей тьма, а надо и есть, и позаботиться о потомстве. Единственное спасение в подробных инструкциях-программах, передающихся по наследству.

Как вырабатывается такая программа? Представьте себе маленьких грызунов, миллионы лет живших на сочном лугу. Внезапно начал меняться климат. Год за годом засуха жгла траву, превращая луг в бесплодную пустыню. Грызуны должны были приспособиться к новым условиям или погибнуть. Приспособиться — значит научиться запасать впрок то, что успевало вырасти на лугу. Кто жил сегодняшним днем, были обречены, а кто стал делать запасы, выращивали потомство. Так возникла новая схема поведения, а с нею необходимость в кладовых и в жизни под землей. Отбор благоприятствовал тем зверькам, у которых лапки были лучше приспособлены к рытью, а меховой покров — к жизни под землей. И вот мало-помалу обитатели луга с нежными лапками и мягким мехом превратились в грубошерстных зверюшек с крепкими коготками. Грызун и его нора стали одним целым. Новый образ жизни вызвал глубокие перемены в организме грызунов. Постороннему нечего делать в норе. Проще всего, конечно, встретиться с ним нос к носу и самолично прогнать его. Но тут хозяин рискует попасться в когти ястребу. Гораздо лучше, если посторонний даже не приблизится к норке, узнав по запаху, что попал на чужую территорию. Так выживает потомство тех, чей помет обладает едким запахом.

В структуре нашего собственного поведения обучению отведена максимальная роль, а закрытому инстинкту минимальная. Среда испытывала нас разнообразными и жестокими способами. Были такие эпохи, когда целые века проходили без перемен и время, казалось, стояло на месте. В такие эпохи испытывалась консервативность существ: если вы сегодня поступали так же, как вчера, вы выживали скорее, чем ваш менее постоянный собрат. А потом наступали другие эпохи: менялся климат, ледники переделывали лик континентов, дожди превращали пустыни в леса, а засуха снова превращала их в пески. Через эту панораму коварных времен шли группки боровшихся за свою жизнь существ, которым суждено было стать людьми. Консервативные погибали на берегах высохших и вдруг забурливших рек, замерзали, когда внезапно налетали снежные бури. Они не были нашими предками. Нашими предками были существа, умевшие распознавать признаки надвигавшихся перемен, включать новое знание в свои программы, существа разумные и гибкие, понимавшие, что завтрашний день может быть непохож на сегодняшний. Они умели предвидеть.

Чем жестче программа, тем ярче видны в поведении элементы предвидения. Глупости и оплошности совершают лишь те, кто наделен развитым мозгом и индивидуальностью. Нет ведь ни беспечных стрекоз, ни трудолюбивых муравьев. Все это придумали баснописцы. Но что это за предвидение? Их хлопоты о будущем или, наоборот, отсутствие этих хлопот — все это повиновение программе, о которой им ничего не известно. Они не предвидят, потому что не видят дальше собственного носа. Предвидят не они, а за них. Чем больше целесообразности в их поведении, тем меньше у них воли и воображения. Когда наш дом переводят на газовое отопление, мы перестаем думать о дровах на зиму. Белка же не перестает запасаться орехами, сколько ни тверди ей, что вы запасли ей корму до весны. Животные все ужасные хлопотуны, но жизнь их безмятежна: они не предаются воспоминаниям и не думают о будущем. Они во власти настоящего — своей программы.

Прочитали текст? Теперь ответьте на вопросы, поставив крестики на строчках, наибольшим образом отражающих действительность:

1. Насколько вы были уверены в своих позициях до начала чтения:

абсолютно уверен ___ ; уверен в какой-то степени ___ ; не уверен вообще ___ .

2. На основе чего вы сделали свои предположения:

на основе твердых знаний ___ ; по-моему, что-то читал или слышал ___ ; «ткнул пальцем в небо» ___ .

3. Не правда ли, что предположения, высказываемые вами до начала

чтения, делают чтение интересным процессом:

да, это так ___ ; не заметил этого ___ ; нет, даже стало неинтересно читать ___ .

Примечания:

1. Даже если вы делали свои предположения не на основе знаний, а просто пытались угадать, то это все равно отлично.

2. Пытайтесь не делать неуверенных предположений.

3. Всегда обращайте внимание на то, чтобы составление предположений до начала чтения превращало чтение в интересное занятие.

УПРАЖНЕНИЕ 53 *Выполняя это упражнение, научитесь быстро вникать в суть текста и использовать знание сути для лучшего понимания и запоминания всех деталей содержания текста при дальнейшем основательном прочтении текста. Для этого вам нужно научиться оценивать существенные элементы текста по степени важности.*

Для достижения поставленной цели вам нужно решить следующие задачи:

— научиться точно находить слова, с помощью которых формулируется суть (концепция) текста;

— научиться быстро формулировать суть текста;

— научиться удерживать в памяти формулировку сути текста во время чтения и время от времени напоминать формулировку для ориентировки в тексте.

Указанные задачи вы будете решать, обрабатывая тексты в два этапа.

Этап 1. Быстро выявите и сформулируйте основные мысли (ОМ) 10—20 абзацев одного крупного текста.

Этап 2. Поочередно связывая все абзацы по смыслу, придите к формулировке основной сути текста (концептуальному смыслу):

— сформулируйте ОМ 1-го абзаца, затем 2-го и сделайте общий вывод по двум первым абзацам;

— сформулируйте ОМ 3-го абзаца и сделайте общий вывод по трем абзацам;

— попытайтесь сформулировать суть всего текста на основе предыдущих выводов;

— переходите к 4-му абзацу и т.д;

— завершите работу формулировкой общего вывода.

ПОИСКОВОЕ ЧТЕНИЕ

Достаточно часто употребляемым рациональным приемом работы с печатной информацией является чтение больших объемов текстов с целью извлечения предполагаемой заранее смысловой информации: мыслей или фактов, подтверждающих какие-либо мысли. Чем более опытным становится читатель, тем чаще появляются потребности в поисковом чтении. Объясняется такая зависимость тем, что опытный читатель все больше и больше расширяет диапазон читаемой литературы, все больше расширяет пла-

ны профессионального чтения, все больше использует свои читательские возможности. А все это ставит увеличивающееся количество вопросов и, соответственно требует все больше и больше ответов, которые можно найти, проработав большие объемы литературы. Если у вас возникнет вопрос: «А стоит ли вообще овладевать навыками поискового чтения (тем более что для этого требуется кропотливая работа!)? Ведь до сих пор не испытывали потребности в этом?», то на него можно ответить: «Вы потому и не испытывали потребности, что не владели до сих пор навыками просмотрового чтения. Как только вы этими навыками овладеете, так сразу же потребности в ПРОФЕССИОНАЛЬНОМ ПОИСКОВОМ ЧТЕНИИ возникнут».

К поисковому чтению, как правило, предъявляются три требования:

— ТОЧНОЕ формулирование задания для поиска;

— БЫСТРОЕ проведение поиска нужной информации;

— ГАРАНТИРОВАННОЕ нахождение информации из текста или ГАРАНТИРОВАННАЯ констатация отсутствия таковой в тексте.

Точность формулирования приходит с опытом проведения поискового чтения. Быстроту обеспечит натренированное вами чувство разумной торопливости. Гарантию может дать только кропотливое выполнение упражнений.

Примерное выполнение упражнения.

Засеките время и постарайтесь найти ответы на вопросы за 2 минуты при однократном прочтении текста. *Для того чтобы продуктивно выполнять упражнение, нужно:*

— попытаться предугадать возможные варианты ответов;

— попытаться представить себе, КАК эти варианты ответов могут быть напечатаны в тексте (с помощью каких слов, предложений).

Учтите, что текст большой, а времени — очень мало, поэтому вначале взгляните на текст и оцените, с каким усилием и упорством вам следует провести эту работу!

Вопросы:

1. Какие слова обычно запоминаются лучше всего?

2. Что важнее для внимания — смысловая связь или случайные ассоциации?

3. Что является основой запоминания бессмысленного материала?

Подумайте над вопросами. Запомните их, повторив несколько раз! Готовы? Засеките время и начните чтение!

ИПОХОНДРИК БОФ

С. Иванов

Рассмотрим обширную область разнообразных условий, влияющих на прочность памяти. Среди этих условий едва ли не первое место занимает повторение. Если бы актер, о котором рассказал Карпентер, повторил раза два или три роль, он бы ее не забыл. Повторение необходимо. Как было оно матерью учения, так ею и осталось. Не будет его, никакого ассимилирования мы не дождемся, и в полном согласии с законами сохранения, что в одно ухо войдет, то в другое и выйдет.

Надо отдать должное немецкому психологу Герману Эббингхаузу: повторение он исследовал досконально. Эббингхауз брал ряды бессмысленных слогов (например, БОФ, ПБЕ, НЭШ, ШДО), состоящих из двух согласных и одного гласного, и выучивал их наизусть. Отсутствие смысла должно было исключить возникновение ассоциаций и позволить исследовать механическое запоминание в чистом виде. Через час после заучивания Эббингхауз настолько позабыл свои слоги, что для полного их воспроизведения вынужден был выучить половину слогов заново. Через восемь часов он забыл две трети выученного. Потом он выяснил, что если материал сложен и для его заучивания требуется много повторений, то выгоднее не разделаться с ними сразу, а растянуть их. Эббингхауз взял ряд из 12 слогов и выучил его наизусть, повторив 68 раз. На другой день он попытался его воспроизвести. Часть слогов позабылась, и для нового заучивания понадобилось 7 повторений. Тогда он распределил повторения на три дня и перед началом каждого заучивания один раз прочитывал слоги. На четвертый день для воспроизведения ему потребовались те же 7 повторений, но зато предшествовало им уже не 68 повторений, а только 38. Разумное распределение повторений экономит половину сил.

У заучивания обнаружились и другие закономерности, например «фактор края». Слова, которые находятся в начале и в конце ряда, запоминаются и воспроизводятся лучше тех, которые находятся в середине. Попробуйте выучить, а потом воспроизвести стихотворение, и первыми в вашем сознании возникнут рифмующиеся слова, затем слова, с которых начинаются строки, и уж потом слова, находящиеся посередине. Переход к следующему слову тормозит следы предыдущего, а стремление запомнить или припомнить предшествующее мешает операции с последующим. В первом случае происходит ретроактивное, то есть «действующее назад» торможение, а во втором проактивное, то есть «действующее вперед». Слова, стоящие с краю, такого двойного торможения не испытывают, а потому и проявляются первыми.

С ретроактивным торможением во многом совпадает еще одно явление, которое некоторые психологи считают одной из главных причин забывания. По аналогии с известным явлением в оптике оно называется интерференцией. «Если вам предстоит готовить уроки по алгебре, истории и литературе, — писал Б.М. Теплов, — то порядок «история, алгебра, литература» будет много продуктивнее порядка «история, литература, алгебра». Чем больше новый материал похож на старый, тем хуже этот старый запоминается.

Физиологи объясняют это тем, что сходные раздражители начинают занимать те же самые клетки мозга и новые раздражители, накладываясь на старые, как бы не дают им ходу.

Но тепловская рекомендация хороша лишь тогда, когда все виды материала обладают для нас одинаковой трудностью. В противном случае начинать надо с самого трудного — пока голова свежа и нет никакого предыдущего материала. Впрочем, самое трудное мы обычно откладываем на самый конец: самое трудное ведь самое противное, и при одной мысли о нем мозг охватывает охранительное торможение.

Легко ли можно запомнить несвязанные слоги? Конечно, нет. Во-первых, они бессмысленны, а бессмысленный материал запоминается хуже всего. Если он сразу не вызовет никаких ассоциаций, не напомнит звуковым сходством что-нибудь знакомое или не рассмешит нелепым звучанием — нечего и рассчитывать на запоминание. Во-вторых, потому, что у нас эти слоги занимали второстепенное место. Выбраны они были наугад, можно было взять и другие, а можно было и вовсе обойтись без них. Мысль была понятна и так. Запоминается главное.

Однажды французский психолог Бине продиктовал младшим школьникам короткий рассказ: «Старая крестьянка, 64 лет, вдова Мепс, жившая в маленьком доме на пустынной дороге Реколе, повела свое стадо в поле. Пока она собирала траву для своих животных, змея, спрятавшаяся в хворосте, бросилась на нее и укусила ее несколько раз в кисть руки. Бедная женщина от этого умерла».

Двадцать пять школьников из сорока не воспроизвели ни дом, ни пустынную дорогу, пятнадцать забыли имя и возраст женщины и собирание травы, десять не запомнили, что змея сперва бросилась. Никто не забыл ни «старую крестьянку» (фактор края!), ни укус змеи, ни стадо (драма произошла в заботах о стаде). Забылось второстепенное.

Внимание всегда стремится сосредоточиться на главном, и смысловая связь для нас всегда важнее, чем случайная ассоциация.

Вы не запомнили четыре бессмысленных слога еще и потому, что и не собирались их запоминать. Сколько раз во время опытов психологам приходится читать одни и те же ряды слогов или цифр, но заставьте их повторить что-нибудь наизусть. Тщетно! Они же сами не намеревались ничего запоминать. Кроме намерения, на прочность запоминания влияет и «временная установка». Одно дело сказать себе, что выучить надо к определенному дню, а другое — выучить навсегда. После того как срок пройдет, выученное быстро начнет забываться.

Вернемся к нашим четырем слогам. Вот они: БОФ, ПБЕ, НЭШ и ШДО. Запомните их, пожалуйста, хотя бы на полчаса.

Вы можете поступить двояко. Первый способ — повторить все слоги несколько раз и, убедившись, что в порядке, читать книгу дальше. Но тут вас подстережет ретроактивное торможение. Чтение сотрет эти дурацкие слоги тотчас же. Гораздо надежнее второй способ — обратиться к мнемотехнике и попытаться придать слогам какой-нибудь смысл.

Первый слог вы просто запомните, не пытаясь его осмыслить, но из второго может получиться «пбеувеличивает», третий напомнить о слове «нэщастье», а четвертый превратится в «шдоров». Выйдет фраза: «Боф преувеличивает свое несчастье, он здоров». Невольно вы представите себе ипохондрика по имени Боф, который беспрестанно жалуется на свое здоровье. Ассоциация «НЭШ — нэщастье» получится у вас не сразу, но в конце концов вам придет в голову, что «нэщастье» означает притворное несчастье. Вспомните, как Ш. решил, что итальянская selva (лес) — это оперетточная Сильва, под которой сломались подмостки.

Конечно, ваши ассоциации могут оказаться иными, и бедняга Боф не появится на свет. Но мысль ваша пойдет по этому пути все равно. Механизм запоминания бессмысленного материала у всех одинаков: главной опорой ему служат словесные ассоциации, или, в более широком смысле, речь. Мнемонический прием формирует образ, обладающий своим сюжетом, часто нелепым и комическим, но благодаря этой нелепости прекрасно запоминающийся. Вот почему, чем человек старше, тем он лучше заучивает бессмысленный материал. Свежая и сильная механическая память ребенка пасует перед изобретательной памятью взрослого. Ребенку, чьи знания и словарный запас меньше, не хватает ассоциаций, чтобы удержать в памяти не связанные слоги или цифры.

СТОП! Быстро оцените затраченное время!

Отметьте крестиком:

— на поиск затрачено времени больше двух минут _____ ;

— на поиск затрачено около двух минут _____ ;

— на поиск затрачено времени меньше двух минут _____ .

А теперь оцените качество выполненной вами работы. Закончите следующие утверждения:

1. Чем больше новый материал похож на старый, тем _____ .

2. Кроме намерения, на прочность запоминания влияет _____ _____ .

3. Чем человек старше, тем он лучше _____ .

Теперь, прочитав текст быстро, но сплошным образом, подробно, оцените правильность ваших ответов и проставьте плюсы или минусы:

1-й ответ _____, 2-й ответ _____, 3-й ответ _____ .

Сделайте выводы по результатам работы и приступайте к следующей тренировке.

ВЫБОРОЧНОЕ ЧТЕНИЕ

Этот последний раздел книги будет самым маленьким и содержит всего одно упражнение. Навыки выборочного чтения складываются из навыков поискового, просмотрового и аналитического чтения. В качестве упражнения для развития именно выборочного чтения предлагается следующее.

УПРАЖНЕНИЕ 54 *Найдите большой текст с вопросами и уже прочитанный вами при выполнении какого-либо упражнения. Хорошо, если вы немного забыли его содержание.*

Прочитайте два-три связанных по смыслу вопроса к тексту. Объедините эти вопросы в один сложный вопрос. Предположите содержание ответа на получившийся вопрос.

Теперь поисковой стратегией прочитайте текст с целью поиска крупного ответа на крупный вопрос. Найдя части текста, основательно прочитайте их и во время чтения сформулируйте ответ. Закончив работу, запишите мысли и факты, которые могут служить ответом. В завершение прочитайте ответы на исходные два-три вопроса и сравните со своим ответом.

Выполните это упражнение несколько раз.

Вот образец выполнения упражнения на выборочное чтение.

Прочитайте текст с использованием стратегии выборочного чтения. Попытайтесь выделить из текста только смысловую информацию. Не задерживайтесь на числах, фамилиях и пр. информации, не являющейся важной для понимания темы. Постарайтесь прочитать текст не более чем за 6 минут. По окончании чтения текста вам предстоит ответить на вопросы.

ПАРАДОКСЫ ПАМЯТИ

Л. Хромов

Парадоксы начинаются с определения, что такое память. У ученых нет здесь единства, определений — десятки, и на представительных философских семинарах идут жаркие споры: все (для себя) прекрасно представляют, о чем идет речь, но определить…

Скажем, любой знает, что такое кастрюля, но попробуйте дать определение кастрюли — и вы увидите, что непросто сформулировать его так, чтобы не получилось ни ковша, ни сковородки, ни бака. Разнообразие формы, материала, цвета и, главное, назначения становится нелегким барьером.

Что уж тут говорить о памяти! Одинаково ли в вашей памяти запечатлеваются выбоины на дороге и шрам на руке — след пореза? Первое — чисто умозрительно, второе — гораздо сильнее в ощущении (память тела). Но где предел взаимопроникновения и взаимовлияния психического и соматического (в грубом переводе — телесного)? И в частности: только ли с мозгом связаны наши реакции, зависящие от памяти?

Разнобой в определении памяти приводит нас к предположению, что ученые исследуют различные типы памяти. Это происходит уже в пределах одной научной дисциплины. И уж вовсе невозможно перечислить разделы науки, подключенные к изучению памяти.

Почти в каждой популярной книге о памяти можно найти пространные списки наук, так или иначе замкнутых на памяти. Едва ли не половина ученых, исследующих функции человеческого организма, занимается памятью или, по крайней мере, профессионально интересуется ею.

Психологи, например, пользуются методами физиологии, при этом продолжая считать себя чистыми психологами. Физиологи справедливо полагают, что психические функции человека — предмет исследования науки физиологии. И они исследуют те же характеристики памяти, что и психологи. И те и другие могут считать, что исследуют единственно верную, настоящую память. Может быть, вообще настало время уточнить (и конкретизировать) классификацию научных дисциплин? Дело это деликатное, поскольку и в психологию, и в физиологию в достаточной степени проникли естественные и технические науки.

Чтобы завершить разговор об определении памяти, не навязывая своего определения, уговоримся, что читатель и без этого научного определения понимает, о чем идет речь. Для справки же сошлемся на Энциклопедический словарь, который говорит, что память — это «способность к воспроизведению прошлого опыта, одно из основных свойств нервной системы, выражающееся в способности длительно хранить информацию о событиях внешнего мира и реакциях организма и многократно вводить ее в сферу сознания и поведения».

Что такое хорошая память? И что такое плохая?

На память жалуются часто, но никто не жалуется на ум (во всяком случае, на то, что его мало досталось). Памяти же не хватает чаще всего именно потому, что ум мы редко подключаем к ее работе.

Если же говорить о хорошей и плохой памяти, то авторам кажется, что в зависимости от характеристик индивидуальной памяти имеет смысл говорить о ней как о хорошей, когда память не мешает нам. Так, о хорошем сердце говорят: «Я его не чувствую». Но это приблизительно. Память существует как раз в проявлении себя, в воспроизведении своих следов, хотя человек сплошь и рядом воспроизводит материал, не осознавая того, что он обращается к памяти. Так вот тогда, когда память удобна, как хорошо пригнанная ноша, когда она всегда готова предложить все необходимое, ничего не упустив и не добавив лишнего, — тогда о памяти можно говорить как о хорошей. Или даже как об очень хорошей.

Мы не требуем от памяти, чтобы она хранила все, но хотим, чтобы она не теряла нужного.

Отклонения как в сторону усиленного, так и затрудненного забывания свидетельствуют о несовершенстве памяти.

Одаренный феноменальной памятью С.В. Шерешевский (Лурия А.Р. Маленькая книжка о большой памяти) на вершине своей мнемонической карьеры больше заботился не о том, как запомнить, а о том, как забыть! Он изобретал приемы для забывания. Его уникальная память не позволяла ему освободиться от мнемотехники. Он записывал то, что подлежало забыванию, и запоминал, что эту информацию нужно забыть! В принципе это то, что требуется в быту от всех нас, только нам нужно научиться запоминать, что эту информацию нужно запомнить.

Это, в общем, и есть начало мнемотехники. Многие, правда, относятся к мнемотехнике иронически и утверждают, что не пользуются ею, а тем не менее живут и работают без особых хлопот. Между тем эти люди телефонный номер набирают, как 35 — 35 — 130, а не как 3535130 (три миллиона пятьсот тридцать пять тысяч сто тридцать). А это уже мнемотехника, поскольку информация организована. В принципе само осмысление и понимание пути получения какой-либо тригонометрической формулы является мнемотехникой.

Вопрос: почему эти рассуждения попали в статью «Парадоксы памяти»? Какая связь между феноменальной памятью Шерешевского и нашей обычной? Да такова, что все мы, видимо, страдаем в некотором роде тем же пороком. Возможно, в той же мере, что и Шерешевский, запоминаем все и навсегда, сами того не замечая. Запоминаем, а вспомнить, как это делал Шерешевский, не можем — такая обидная разница.

Формально возможности нашей памяти почти безграничны. Об этом можно прочитать едва ли не в каждой популярной книжке о памяти.

Известно, что информационная емкость памяти огромна. Исследователями называются различные цифры объема памяти вплоть до максимальной — 1023 бит информации, но даже средние цифры указывают на объем нашей памяти порядка 1015 бит. Мы не будем вдаваться в смысл понятия «бит информации», поскольку нам кажется, что это мало поможет осознанию объема нашей памяти. Заметим просто, что таблица умножения содержит всего полторы тысячи бит информации, а объем памяти человека на несколько порядков превышает объем памяти современных вычислительных машин и, по всей видимости, превышает информационный объем Государственной библиотеки СССР имени Ленина... Но воспроизвести такое количество информации, считает канадский ученый Пенфилд, возможно только в специальных условиях.

Но куда же девается это богатство в реальной жизни? Почему мы забываем, к примеру, выполнить элементарную просьбу — купить масла или хлеба в магазине. Парадокс...

А не кажется ли вам парадоксальной ситуация, когда штангист не справляется с меньшим весом потому, что может поднять больший? Между тем подобное произошло на Олимпийских играх в Токио с одним из выдающихся советских штангистов. Причиной неудачи спортсмена не был избыток силы — к срыву привело неправильное ее применение. Сила была адресована к другому, меньшему весу. Это, кстати, и есть тот самый психологический барьер, мешающий побить рекорд.

Так и с памятью. По каким-то причинам мы, поглощая некоторые виды информации, не запоминаем, игнорируем их. Наша деятельность по запоминанию является как бы имитацией запоминания. Причин может быть много: субъективное неприятие информации (она безразлична или вызывает отрицательное отношение), перекрытие одной информации другой, более важной, что иногда приводит к так называемой рассеянности.

Запоминание, таким образом, требует определенной настроенности. И, кроме того, некоторой предрасположенности к данному виду информации, поскольку безжалостное, обезличенное отношение к своей памяти обязательно скажется в конце концов на результатах.

По аналогии все с тем же спортом можно сказать, что совершенства работы памяти необходимо добиваться не просто упражнением, но упражнением, соответствующим вашим склонностям и способностям.

Каковы они, способности вашей памяти? Всмотритесь, вслушайтесь в себя. Память многолика. «Сколько голов, столько и умов». Это относится и к памяти.

История изучения памяти насчитывает века. Наукой накоплен огромный и разнообразный материал. Оставив пока в стороне специальные данные, коснемся простых, почти житейских наблюдений.

Человек может иметь феноменальную музыкальную память и неспособен запомнить телефон приятеля. Интересно, что музыкальная память, пожалуй, один из самых распространенных типов ярко выраженной хорошей памяти. Вот тут можно было бы воскликнуть: «Почему? Парадокс...»

Говоря о музыкальной памяти, нельзя не сказать и о том, что слабость музыкальной памяти распространена, наверно, тоже шире, чем какие-либо другие дефекты памяти. Человек имеет хорошую, послушную память, но не может воспроизвести куплет заезженной песенки, что каждый день, а то и несколько раз в день навещает его из каждого окна... Нет слуха? Да, это часто совпадает, но не слишком ли простым будет такое толкование? А что, если нет слуха на числа и их связи — тогда не окончить средней школы? А если нет слуха к родному языку? Тогда простейший диктант — неодолимый барьер. Необходимость частенько заставляет нас делать то, что, казалось бы, самой природой нам заказано. Есть барьеры, которые нельзя не преодолеть, и мы их преодолеваем.

Нет слуха... Нет, это все-таки слишком просто. А что, если запоминаем мы все верно, но вот при воспроизведении (при припоминании) мелодии что-то происходит, из-за чего одно не то чтобы превращается в другое, но теряет нечто главное, особенное?

Что, если при воспроизведении информация проходит как бы через некоторый фильтр и качество воспроизведения зависит от настройки этого фильтра? Об этом мы поговорим позже.

Пока же вернемся к примерам, которые наверняка знакомы читателю из собственного опыта.

Так, вы, очевидно, замечали, что человек лучше владеет

лишь одним из типов памяти. Люди с хорошо развитой зрительной памятью заучивают письменные тексты лучше, чем воспринятые на слух. Воспоминание всплывает у них в виде зрительного образа. Человеку с моторным типом памяти для улучшения запоминания текст надо записать самому. Мастер, про которого говорят: «золотые руки», известный спортсмен — это люди с развитой моторной памятью. Артисту балета надо обладать и моторной, и музыкальной памятью. Разные виды памяти обычно компенсируют друг друга. У слепых, как правило, хорошая осязательная память.

Почему же усиление одного вида памяти соседствует с ослаблением другого? Не конкурируют ли эти специалисты по запоминанию разной информации, работающие в нашем мозгу? Если так, то, значит, информацию мы обрабатываем по нескольким каналам и эти каналы неравномерно широки.

Если рассмотреть отдельно взятый канал, то легко обнаружим, что его работа тоже содержит в себе некие внутренние противоречия.

Мы иногда не можем вспомнить то, что знаем абсолютно точно. Более того, чем больше стараешься ухватить забытое, которое только что буквально на языке вертелось, тем дальше оно прячется, чтобы потом вдруг явиться откуда-то из потайного уголка.

Эмоциональная окраска материала способствует его запоминанию. Мы долго помним обиды. С детства храним неповторимые мгновения радости. Мы на долгие годы запоминаем улочки городов или лесные дорожки, если с ними было связано что-то значительное для нашего сердца.

Неинтересный и кажущийся ненужным материал запомнить бывает очень трудно. Внимательный студент, например, может заметить, что трудный, неподдающийся экзаменационный курс усваивается именно тогда, когда у человека появляется отношение к нему. Во всяком случае, не вызывает сомнения, что эмоции нужны для запоминания.

В опытах на животных также было доказано, что эмоциональная окраска обучения какому-нибудь навыку с помощью стимуляции зон мозга, связанных с эмоциями, существенно ускоряет запоминание и делает его более прочным.

Но вот информация зафиксирована. Теперь, если в момент, когда ее нужно вспомнить, появляются эмоционально значимые раздражители, их воздействие может быть различным. Припоминание информации может улучшиться (каждый знает, как остро и ясно работает иногда память в критических ситуациях), но может быть и просто задавлено («отшибло», как говорят).

Пока, в пределах данной статьи, можно сказать, что оптимальным, видимо, является эмоциональный фон, сходный по характеру с запоминаемой информацией. Но встречаются, однако, люди, которым именно контрастирование общего фона и запоминаемой информации помогает лучше запомнить. В этом как раз нет ничего парадоксального, потому что уже упомянутая нами электростимуляция зон мозга, как, впрочем, и вообще придание эксперименту эмоциональной окраски, вызывает, по современным данным, именно контрастирование раздражителей, которые мы регистрируем.

Настало время напомнить, что эта статья не случайно называется «Парадоксы памяти». Разве не странно, что в одной и той же статье поместилось и предположение (почти утверждение), что мы запоминаем все или почти все, с чем встречаемся в жизни, и рассуждения о том, что способствует запоминанию и что мешает. В чем дело? Как стыкуются эти положения? Это — отдельная тема, пока же ограничимся тем, что запоминание само по себе, если оно пассивно, если в нем не участвует наше «Я», — это накапливание богатств в лабиринте, ключи от сокровищниц которого находятся в одной запутанной связке. И ключи эти безлики.

Теперь коснемся еще нескольких факторов, влияющих на функцию памяти. К таким факторам относится, например, сон. Всякий знает, что мысль, промелькнувшая перед самым засыпанием, наутро вспоминается крайне трудно или не вспоминается вообще. Что-то было несомненно важное, но что?

Как они всегда интересны, эти мысли в полусонном состоянии — не потому ли, что мы бессильны восстановить их в точности и работаем, так сказать, с образом мысли? Так поэт, своевременно не записавший мелькнувшие где-то на околице сознания строки, бьется потом, вспоминая их и отвергая все, что приходит на ум (все не то, не так, слабо), в том числе отвергает и ту самую, желанную, единственную, великолепную строчку.

Получается, что сон мешает запоминанию. Есть даже предположение, которое, правда, очень трудно проверить, что из всех наших бесчисленных сновидений мы помним лишь те, что непосредственно предшествовали просыпанию или даже вызвали его. Все это, наверное, так и есть.

Многочисленными экспериментами на животных показано, однако, что сон играет важную роль в воспроизведении следа памяти и, возможно, даже в самом запоминании. Ученые описывают две фазы сна — «быстрый» и «медленный». Во всяком случае, если в эксперименте животное всякий раз будить в фазе быстрого сна, который сопровождается сновидениями (движениями глаз, так называемой активированной энцефалограммой), — так вот, если животное лишить этого вида сна, оставив ему на долю только «медленный сон» (когда отсутствуют внешние проявления активности), то назавтра оно не может воспроизвести то, чему его учили вчера, или делает это с большим трудом. Предполагается, что именно во сне происходит сортировка и, так сказать, укладка на полочки накопленной за день информации. Только это должен быть здоровый, полноценный сон.

Резюмируя все, чего мы коснулись в этой статье, можно сказать, что для успешного запоминания и последующего воспроизведения информации необходима установка на запоминание и даже на длительность хранения запоминаемого материала. Если мы учим материал к экзамену, то мы забудем его гораздо скорее, чем когда мы учим его с установкой «навсегда».

Необходимо отношение к запоминаемому материалу. Эксперименты показывают, что из суммы предлагаемой для запоминания информации человек запоминает лишь 16% безразличной ему, 80% эмоционально окрашенной и 4% той, отношение к которой он не смог охарактеризовать.

Наконец, нужна организация материала. Осмысленный материал запоминается в девять раз лучше, чем набор слов, а материал, пересказанный своими словами, запоминается прочнее, чем принимаемый в виде готовых фраз.

И еще нужна техника запоминания.

Вопросы:

1. Сколько существует определений памяти? Выберите правильный ответ:

а) одно;

б) ни одного;

в) около десяти;

г) несколько десятков.

2. Как взаимосвязаны память и прошлый опыт человека?

3. Почему, по мнению авторов, чаще всего не хватает памяти?

4. Что такое «хорошая память»?

5. Какое главное требование, по мнению авторов, мы предъявляем к памяти?

6. Что больше всего заботило одаренного феноменальной памятью Шерешевского?

7. Многие ли из нас пользуются правилами мнемотехники?

8. Каковы возможности нашей памяти?

9. Как соотносится объем памяти человека и объем памяти современных вычислительных машин?

10. Назовите причины того, что мы, поглощая некоторые виды информации, не запоминаем их.

11. Какими упражнениями необходимо добиваться совершенства работы памяти?

12. Давно ли началось изучение памяти?

13. Что является одним из самых распространенных типов ярко выраженной хорошей памяти?

14. Какое предположение делают авторы о причине того, что человек, имеющий хорошую память, не может воспроизвести известную мелодию?

15. Сколькими типами памяти может хорошо владеть человек?

16. Какое воздействие на припоминание оказывают эмоционально значимые раздражители?

17. Что способствует запоминанию?

18. Какой эмоциональный фон является необходимым для запоминания информации?

19. С чем авторы сравнивают пассивное запоминание, в котором не участвует наше «Я»?

20. Насколько осмысленный материал запоминается лучше бессмысленного набора слов?

Ответы:

1. Правильный ответ г).

2. Память — это способность к воспроизведению прошлого опыта.

3. По мнению авторов, памяти чаще всего не хватает из-за того, что мы редко подключаем к ее работе ум.

4. Это память, готовая всегда предложить все необходимое, ничего не упустив и ничего не добавив лишнего.

5. Чтобы она не теряла нужного.

6. Не как запомнить, а как забыть.

7. Да, многие.

8. Формально способности нашей памяти безграничны.

9. Объем памяти человека на несколько порядков превышает объем памяти современных вычислительных машин.

10. Причин много: субъективное неприятие информации (она безразлична или вызывает отрицательное отношение), перекрытие информации другой, более важной и т.д.

11. Совершенства работы памяти необходимо добиваться упражнениями, соответствующими нашим склонностям и способностям.

12. Давно: история изучения памяти насчитывает несколько веков.

13. Музыкальная память.

14. Авторы делают такое предположение о причине того, что человек, имеющий хорошую память, не может воспроизвести известную мелодию:

при воспроизведении информация проходит как бы через некий фильтр, и качество воспроизведения зависит от настройки этого фильтра.

15. Одним видом памяти.

16. Различное: могут улучшить его, а могут и задавить.

17. Эмоциональная окраска материала, интерес к нему, необходимость в нем.

18. Оптимальным, видимо, является эмоциональный фон, сходный по характеру с запоминаемой информацией. Но встречаются люди, которым именно контрастирование общего фона и запоминаемой информации помогает лучше запомнить.

19. С накоплением богатств в лабиринте, ключи от сокровищниц которого находятся в огромной запутанной связке.

20. В девять раз лучше.

КАК ВЫ ЧИТАЕТЕ ТЕПЕРЬ

Начнем с подсчета коэффициента рациональности (разумности) вашего чтения. Иными словами, мы с вами постараемся оценить, насколько разумно (экономно и с пользой) вы теперь используете свои возможности.

ТЕСТ

Оценка скорости чтения
и качества усвоения

Контрольный текст следует читать, зафиксировав по часам или секундомеру время, затраченное на чтение (в минутах и секундах). Время можно определять с точностью до 5 секунд. Текст читайте один раз. Если вам все же понадобится прочитать текст дважды, то зафиксируйте полное время работы с текстом.

Читать следует _с максимально возможной скоростью_ и _с максимально возможным качеством усвоения_. Попытайтесь запомнить все существенные по смыслу и эмоциональному восприятию факты, мысли.

По окончании чтения письменно ответьте на вопросы к контрольному тексту. Прочитывать контрольные вопросы до начала чтения контрольного текста _не разрешается_.

Приготовьте секундомер или часы.

Вы готовы к чтению?

Если да, то зафиксируйте время (запишите время, которое показывают часы, или включите секундомер) и прочитайте контрольный текст.

Не переворачивайте лист, пока не подготовитесь к чтению!

АФРИКАНКА ИЗ АСКАНИИ-НОВА

В.Б. Хлебович

Страшная засуха в Африке поражает многие районы континента. Из-за высокой температуры выгорают поля. В итоге гибнет от бескормицы и жажды скот. Специалистами местного сельского хозяйства было также замечено, что традиционные домашние животные — коровы, овцы и козы — плохо переносят резкие перепады погодных условий. Но когда несколько лет подряд осадков выпадает меньше прежней и без того скудной нормы, это оборачивается трагедией для местного животноводства.

Скотоводы, наблюдая за поведением животных в течение многих лет, обратили внимание на то, что значительно лучше, чем домашний скот, местные условия переносят дикие копытные, которые в Африке представлены и многими видами антилоп. Животноводы показали, что дикие антилопы, способные поедать жесткую растительность и почти не зависящие от водопоев, могут дать населению больше мяса, чем обычный домашний скот. Иными словами, в условиях необходимости поедать иссушенную растительность и долго выдерживать жажду более выносливыми оказываются дикие копытные. Наиболее интересна из них в этом отношении антилопа канна.

Канна — самая крупная в мире антилопа. Вес взрослых самцов может достигать тонны. Это стройное животное с красивой узкой головой, вооруженной длинными прямыми рогами. Рога у основания винтообразно скручены штопором. На шее у антилоп, как и у коров, свисает подгрудок. Хвост — с кисточкой на конце. Окрас тела палевый с переходом в рыжинку разной интенсивности. Иногда на ногах заметны белые или черные поперечные полосы.

Попытки одомашнить канну предпринимались в Африке еще с прошлого века. И сейчас на юге и востоке континента действует несколько сот ферм, где разводят это красивое и полезное животное. Направление хозяйств в Африке — исключительно мясное.

Но самые значительные и решающие успехи в одомашнивании антилопы-гиганта достигнуты не на ее родине, в Африке, а на Украине. Есть в Херсонской области известный на весь мир заповедник Аскания-Нова. Здесь на площади в несколько тысяч гектаров, окруженной распаханными культурными землями, сохраняется остров никогда не паханной девственной степи. Степь, зеленая весной и ранним летом, и выгорающая в жаркие месяцы, похожа на африканские саванны. В ней только нет характерных для африканских равнин разбросанных там и сям одиночных деревьев, да и зима здесь более суровая. Сходство асканийской степи с саванной уже давно навело ученых на мысль попытаться акклиматизировать в этих местах африканских животных. Еще в 1894 году в Асканию-Нова были завезены канны и начались опыты по акклиматизации и одомашниванию этих животных. Несколько раз исследования приостанавливались из-за войн. Но каждый раз с великим упорством зоологи начинали работу почти заново.

Многим могут гордиться специалисты из Аскании-Нова. Но успехи в одомашнивании африканской антилопы канны, пожалуй, самые впечатляющие. Если в Африке канн разводят только на мясо, то на юге Украины создано хозяйство молочного направления. Это стало возможным в результате тщательного изучения на протяжении десятилетий различных сторон жизни антилопы-великана. В Аскании-Нова работы с этими животными продолжаются, Канны одомашниваются по всем правилам животноводческой науки с регистрацией всех животных в специальных книгах, с подбором родительских пар и выбраковкой плохих особей. Результаты этой работы ученых дают основание смотреть на канну как на очень перспективное в будущем домашнее животное. Эту неприхотливую африканку, по всей вероятности, можно будет разводить во многих южных районах.

Асканийские канны отличаются добрым нравом и дружелюбным отношением к людям. В какой-то мере это их видовая черта. Но не только в этом дело. Определенную роль здесь сыграл отбор на миролюбие. Довольно мирные отношения складываются и в стаде антилоп, состоящем обычно из 10—20 особей. Бои, происходящие между самцами за овладение гаремом, ведутся строго по правилам: могучие метровые рога не применяются для ударов остриями по корпусу соперника. Молодняк, выпаиваемый из рук, особенно привязывается к людям. А их мамаши, которых научились доить в Аскании-Нова, добродушны и кротки по отношению к дояркам.

Самки после 9 месяцев беременности приносят обычно по одному детенышу, который, как у всех копытных, скоро встает на ноги и следует за матерью. Самки очень внимательны к своим малышам безотносительно к их полу. Но когда дети немного подрастут, судьбы бычка и телочки складываются совершенно по-разному. В какой-то день бычок решительно и навсегда теряет материнское расположение и изгоняется прочь. Бычок уже с молодого возраста начинает вести самостоятельную жизнь. С дочкой же на всю жизнь сохраняются очень трогательные родственные отношения: животные часто пасутся бок о бок, явно оказывая предпочтение друг другу. Когда дочке приходит время рожать, мать всегда рядом с ней. Старые самки канны связаны тесными узами не только со своими дочками, но хорошо знают и отличают внучек. Случай узнавания бабушками своих любимых внучек среди животных, наверное, исключительный.

В Аскании-Нова в теплое время года канны пасутся в загонах в степи, а с наступлением холодов их переводят под крышу в антилопник, где температура воздуха не ниже +5 градусов. Почти всю зиму канны содержатся под крышей. На фермах Украины антилоп зимой и летом подкармливают.

Миролюбивый характер поведения канн сочетается с их «исследовательской» деятельностью и предприимчивостью, свидетельствующими об их большой сообразительности. Когда антилопам стали давать пойло в тазиках с ручками, многие из них приспособились подцеплять ручку тазика рогом и осторожно сливать лишнюю воду, чтобы потом полакомиться оставшейся вкусной гущей. Сообразительность канн проявляется и в том, что очень быстро они раскрывают секреты запоров, крючков и задвижек, которые они сдвигают или откидывают с помощью тех же рогов.

Молока канны дают пока что меньше, чем коровы — до 8 литров в день. Но по питательности молоко этой антилопы значительно превосходит коровье. Содержание белка в молоке антилопы достигает 8 процентов по сравнению с 3,5 процента содержания белка в сливках коровы. Жирность молока антилопы может достигать 14 процентов по сравнению с 4 процентами жирности коровьего молока. Таким образом, молоко канны по главным показателям, концентрации жира и белка, сопоставимо даже с коровьими сливками, а кое в чем их превосходит.

Кроме того, антилопье молоко обладает особенными и удивительными свойствами. Оно очень долго не скисает. Но если уж приготовить из него простоквашу, то она не портится и сохраняет при комнатной температуре свойства свежего продукта годами. Значит, молоко канны обладает сильнейшим противомикробным действием. Ученые показали, что молоком африканской антилопы можно излечить ряд желудочно-кишечных заболеваний.

Зафиксируйте время чтения. Больше не заглядывайте в текст.

Запишите время, затраченное на чтение: _____минут_____секунд.

Теперь, не заглядывая в текст, письменно ответьте на вопросы. Старайтесь давать краткие, но исчерпывающие ответы. Запишите все возможные варианты ответов.

ГЛАВНЫЕ ВОПРОСЫ
К КОНТРОЛЬНОМУ ТЕКСТУ

1. Перечислите трудности, испытываемые животноводством в Африке.

1	

2. Какие африканские животные лучше переносят местные условия?

2	

3. Опишите внешние признаки антилопы канны.

3	

4. Для чего разводят антилоп в Африке?

4	

5. Где были достигнуты самые значительные успехи в одомашнивании антилопы?

5	

6. Когда впервые были завезены антилопы на Украину?

6	

7. Для чего разводят антилоп на Украине?

7	

8. Какими качествами поведения отличаются асканийские канны от африканских?

8	

9. Как относятся взрослые антилопы к молодняку? Что в этих отношениях подмечено исключительного?

9	

10. Перечислите примеры сообразительности антилоп («исследовательская» деятельность, предприимчивость).

10	

11. Сравните по качеству молоко канны с молоком коровы.

11	

12. Какими особыми свойствами обладает молоко антилопы?

12	

ДОПОЛНИТЕЛЬНЫЕ
ВОПРОСЫ

1. Как дикие антилопы приспособлены к жизни в Африке?

1	

2. Канна — это

2	а) самая небольшая антилопа в мире;
	б) самая крупная антилопа в мире;
	в) среднее по росту животное.

3. Каков возможный вес антилопы?

3	

4. Форма хозяйствования в Африке:

4	а) выпас за изгородью;
	б) содержание внутри помещения.

5. Чем отличается местность Аскании-Нова от африканских равнин?

5	

6. Из-за чего приостанавливались исследования антилоп и их одомашнивание?

6	

7. Почему асканские канны отличаются дружелюбием?

7	а) это их видовая черта и только;
	б) это их видовая черта и результат отбора на миролюбие;
	в) это только результат отбора на миролюбие.

8. Какое количество особей насчитывает стадо антилоп?

8	

9. Как ведут себя самцы во время боев?

9	

10. Какие заболевания лечат молоком африканской антилопы

10	

Теперь проверьте правильность и полноту ваших ответов, сверяя их с ответами, приведенными ниже. Данные ответы не претендуют на абсолютные. Ваши ответы могут быть более подробными либо иметь другие формулировки, но при проставлении баллов все же следует учитывать ВСЕ приведенные в наших ответах факты и мысли. В соответствующей графе бланка ответов проставьте баллы по следующим критериям:

— *поставьте себе ноль баллов, если у вас отсутствует ответ или вы дали неправильный ответ;*
— *возьмите от указанного в скобках балла ту долю, которая соответствует доле вашего ответа в приведенном полном правильном ответе, т.е. если вы дали неполный ответ или ответ, имеющий неточности;*
— *присвойте себе балл, указанный в скобке, если вы привели полный и правильный ответ.*

ОТВЕТЫ НА ГЛАВНЫЕ ВОПРОСЫ

1. (12)   1. Бескормица (из-за засухи).

2. Жажда.

3. Резкие перепады погодных условий.

Примечание. Каждый пункт ответа оценивается в 4 балла, т.е. как часть 12 баллов.

2. (5)   Дикие копытные, которые представлены многими видами антилоп.

3. (16)   1. Длинные прямые рога, скрученные у основания штопором.

2. На шее свисает подгрудок.

3. Хвост — с кисточкой на конце.

4. Окрас тела палевый с переходом в рыжину.

4. (5)   Для мяса.

5. (5)   На Украине.

6. (5)   В 1894 году (или: в конце XIX века, в конце прошлого века).

7. (5)   Для получения молока.

8. (5)   Добрый нрав и дружелюбное отношение к людям.

9. (12)   Самки очень внимательны к малышам, но в какой-то день молодой бычок оттоняется от матери. С дочкой на всю жизнь сохраняются родственные отношения. Исключительный случай, когда бабушки узнают своих внучек.

10. (10)   1. Когда антилопам стали давать пойло в тазиках с ручками, многие из них приспособились подцеплять ручку тазика рогом и осторожно сливать лишнюю воду, чтобы потом полакомиться оставшейся гущей.

2. С помощью рогов раскрывали секреты запоров, крючков и задвижек.

11. (12)   1. По питательности молоко этой антилопы значительно превосходит коровье.

2. Содержание белка в молоке антилопы достигает 8 процентов по сравнению с 3,5 процента содержания белка в сливках коровы.

3. Жирность молока антилопы может достигать 14 процентов по сравнению с 4 процентами жирности коровьего молока.

12. (8)   1. Молоко антилопы долго не скисает.

2. Если из молока антилопы приготовить простоквашу, то она не портится и сохраняется при комнатной температуре годами.

Примечание. Первый и второй пункты ответа можно было объединить одной фразой: «Молоко антилопы обладает противомикробным действием» и присвоить 6 баллов.

3. Молоком даже можно излечить ряд заболеваний.

ОТВЕТЫ НА ДОПОЛНИТЕЛЬНЫЕ ВОПРОСЫ

1. (15)   а) Способны поедать жесткую растительность.
                б) Почти не зависят от водопоев.
2. (10)   б) Самая крупная антилопа в мире.
3. (10)   Может достигать тонны.
4. (5)   а) Выпас за изгородью.
5. (15)   1. Нет характерных разбросанных там и сям одиночных деревьев.
                2. Зима более суровая.
6. (10)   Из-за войн.
7. (5)   б) Это их видовая черта и результат отбора на миролюбивость.
8. (10)   10—20 особей.
9. (10)   Рога не применяются для ударов остриями по корпусу соперника.
10. (10)   Заболевания желудочно-кишечного тракта.

Теперь суммируйте проставленные баллы за ответы на основные вопросы:

___ + ___ + ___ + ___ + ___ + ___ + ___ + ___ + ___ + ___ + ___ + ___ = _____

Полученное число в процентах обозначает КОЭФФИЦИЕНТ КАЧЕСТВА УСВОЕНИЯ основных мыслей и фактов из прочитываемых вами текстов средней степени сложности.

$$Ком = \text{\_\_\_\_\_} \%.$$

Для справки. *Обычные читатели, не владеющие навыками рационального чтения, прочитывают подобные тексты с коэффициентом усвоения в 35—65%.*

А теперь суммируйте баллы за ответы на дополнительные вопросы:

___ + ___ + ___ + ___ + ___ + ___ + ___ + ___ = _____

Это число в процентах обозначает КОЭФФИЦИЕНТ КАЧЕСТВА УСВОЕНИЯ второстепенных мыслей и фактов, т.е. показывает то, как вы усваиваете вспомогательную, но все же нужную для понимания текста информацию.

$$Квм = \text{\_\_\_\_\_} \%.$$

И, наконец, получите СРЕДНИЙ КОЭФФИЦИЕНТ КАЧЕСТВА УСВОЕНИЯ содержания текстов, показывающий то, как вы воспринимаете, осмысливаете и запоминаете всю существенную информацию из прочитываемых текстов (и основные, и второстепенные мысли и факты). Для этого сложите два коэффициента и поделите на два:

$$K = (Ком + Квм) : 2 = \text{_____} \%.$$

Для того чтобы рассчитать СКОРОСТЬ ЧТЕНИЯ, нужно выполнить следующие действия:

1. Время чтения переведите в секунды и разделите на 60.
Итак, время чтения текста равно:

$$T = \text{_____} мин.$$

2. Разделите объем прочитанного текста, измеряемый в количестве букв (текст «Африканка из Аскании-Нова» содержит примерно 5500 букв), на время чтения. Вы получите скорость перемещения взгляда по тексту.

$$5500 : \text{_____} = \text{_____}.$$

3. Умножьте полученное число на коэффициент усвоения и разделите на 100%. Вы получите СКОРОСТЬ ЧТЕНИЯ, УЧИТЫВАЮЩУЮ КАЧЕСТВО УСВОЕНИЯ.

$$\text{_____} \text{ x } \text{_____} : 100 \% = \text{_____}.$$

В заключение подведите итоги расчетов ваших начальных параметров чтения:

Скорость чтения = _____ **зн/мин. Качество усвоения =** ____%.

Сравните свои конечные параметры чтения с вашими начальными параметрами чтения. Разделив конечную скорость чтения на начальную и округлив частное от деления до десятичного знака, вы получите число, показывающее, во сколько раз увеличилась скорость чтения:

— **кратность увеличения скорости чтения =** ____ **:** ____ **=** ___ **раз.**

— А отняв от начального качества усвоения конечное качество усвоения, вы получите число, показывающее, на сколько процентов улучшилось понимание и запоминание текстов.

— **прирост качества усвоения во время чтения = __%- __% = __%.**

Еще раз напоминаем, что параметры, приводимые в ШРЧ, отличаются от параметров, приводимых другими источниками. Все зависит от того, что принять за знак и что принять за скорость чтения.

Итак, вы стали профессиональным читателем (ФОРШ-читателем)!

ШРЧ поздравляет вас!

Отныне вам будут доступны самые большие объемы литературы и вам покорятся самые наитруднейшие тексты!
Школа рационального чтения БЫЛА УВЕРЕНА В ВАШЕМ УСПЕХЕ!

Эти добрые люди и не подозревают, каких трудов и времени стоит научиться читать. Я сам на это употребил 80 лет и все еще не могу сказать, что вполне достиг цели.

Гёте

Зиганов Марат Александрович

СКОРОЧТЕНИЕ

Ответственный редактор *И. Федосова*
Художественный редактор, дизайн обложки *Е. Брынчик*
Технический редактор *О. Куликова*
Компьютерная верстка *О. Шувалова*
Корректор *Л. Анохина*

ООО «Издательство «Эксмо»
127299, Москва, ул. Клары Цеткин, д. 18, корп. 5. Тел.: 411-68-86, 956-39-21.
Home page: www.eksmo.ru   E-mail: info@eksmo.ru

Подписано в печать с готовых монтажей 09.06.2005
Формат 70х90^1/$_{16}$. Гарнитура «Гарамонд». Печать офсетная
Бум. тип. Усл. печ. л. 16,38. Уч.-изд. л. 16,8
Доп. тираж 3 000 экз. Заказ № 3361

Отпечатано с готовых диапозитивов во ФГУП ИПК
«Ульяновский Дом печати». 432980, г. Ульяновск, ул. Гончарова, 14

Центр дополнительного образования
ПРЕЗИДЕНТСКАЯ БИЗНЕС-ШКОЛА

www.presidentschool.ru
www.100um.ru
Тел. 249-46-88
249-99-84

Курсы для студентов и молодых бизнесменов (есть группы для продвинутых студентов)

СКОРОЧТЕНИЕ

- *экономия времени*
- *оперативное выявление существенной информации*
- *быстрое и качественное запоминание*
- *уменьшение утомляемости при работе с текстами*

  Цель выпускников курсов (что получат выпускники курсов): экономия времени

РАЗВИТИЕ ПАМЯТИ

- *запоминание и воспроизведение сложных текстов после однократного восприятия*
- *долговременное хранение в памяти текстов любой степени сложности*
- *запоминание точных сведений (дат, формул, названий, чисел)*
- *запоминание иностранных слов*

  Цель: усвоение больших объемов информации/владение информацией

ОБЩЕНИЕ

- *управление эмоциями*
- *влияние на собеседника (воздействие на собеседника)*
- *успешное выступление перед аудиторией (владение аудиторией)*
- *выход из конфликтных ситуаций (решение конфликтных ситуаций/ решение конфликтов)*
- *получение хороших оценок*

  Цель: эффективное общение

МАСТЕРСТВО ПРОДАЖ

- *эффективные продажи товаров и услуг*
- *организация презентации товаров и услуг*
- *манипулирование и противодействие*
- *успешный контакт на всех этапах взаимодействия*

  Цель: успешные продажи

Достигаемые СВЕРХЦЕЛИ:

Старшеклассники и студенты: высокая успеваемость, уверенность в себе, активность, целеустремленность, целеустремленность.

Специалисты: успех, благополучие, карьера

ЦРЧ

Центр дополнительного образования
ПРЕЗИДЕНТСКАЯ ШКОЛА

www.presidentschool.ru
www.100um.ru
Тел. 243-22-17
243-22-16
234-1-777

для учащихся 2-3 и 3-4 классов　　　**для учащихся 5-6, 7-8, 9-10 и 11 классов**

РУССКИЙ ЯЗЫК / ГРАММАТИКА

- Уменьшение количества ошибок в письме
- Развитие устной речи
- Преодоление страха перед диктантом
- Развитие памяти, внимания, воображения

Цель: повышение успеваемости в русском языке и литературе

- Осознанное применение правил русского языка
- Приобретение навыков безошибочного письма
- Преодоление страха перед экзаменом, диктантом и контрольными работами

Цель: повышение успешности сдачи переводных и вступительных экзаменов

МАТЕМАТИКА / СПОСОБНОСТИ

- Улучшение понимания математических задач
- Развитие образного и логического мышления
- Развитие математического склада ума

Цель: повышение успеваемости в математике

- Развитие логического и пространственного мышления
- Преодоление страха перед решением любых задач
- Развитие внимания, устранение случайных ошибок

Цель: повышение успешности сдачи переводных и вступительных экзаменов

ИНТЕЛЛЕКТ

- Развитие памяти, внимания, мышления и воображения
- Совершенствование навыка чтения учебников
- Улучшение качества понимания речи учителя
- Расширение словарного запаса по учебным предметам
- Сокращение времени на выполнение домашних заданий
- Формирование навыков самостоятельной работы

Цели: обеспечение успеваемости в учебе, снижение утомляемости, повышение интереса к учебе

- Тренинг внимательного осмысления и запоминания
- Развитие беглости чтения учебных текстов
- Повышение успешности изложения знаний
- Развитие словарного запаса по предметам
- Обучение навыкам конспектирования на уроках
- Психологический тренинг для экзаменов и зачетов

Цели: обеспечение успеваемости в учебе, снижение утомляемости, формирование и развитие интереса к учебе, развитие чувства ответственности и объективности самооценки

СОЧИНЕНИЕ (только для 5-11 классов)

- Приобретение навыков творческого написания сочинений
- Совершенствование мастерства выстраивания композиции
- Обучение полноте раскрытия тем в различных жанрах
- Предотвращение типичных ошибок в письме

Цель: обеспечение успешного написания сочинений и творческих работ

УСТНАЯ РЕЧЬ (только для 5-11 классов)

- Тренинг успешности устных ответов у доски
- Тренинг свободы и уверенности общения с друзьями
- Обучение бесконфликтному общению со взрослыми

Цели: повышение результативности устных ответов на уроках, воспитание чувства уверенности, завоевание уважения от окружающих

Занятия на курсах и тренингах позволят достичь сверхцели:

УСПЕХ В УЧЕБЕ
ЛИДЕРСТВО В ОБЩЕСТВЕ
ВЗАИМОПОНИМАНИЕ В СЕМЬЕ

ООО «Издательство «Эксмо»

127299, Москва, ул. Клары Цеткин, д. 18/5. Тел.: 411-68-86, 956-39-21.
Home page: www.eksmo.ru E-mail: info@eksmo.ru

По вопросам размещения рекламы в книгах издательства «Эксмо»
обращаться в рекламный отдел. Тел. 411-68-74.

Оптовая торговля книгами «Эксмо» и товарами «Эксмо-канц»:
ООО «ТД «Эксмо». 142700, Московская обл., Ленинский р-н, г. Видное,
Белокаменное ш., д. 1. Тел./факс: (095) 378-84-74, 378-82-61, 745-89-16,
многоканальный тел. 411-50-74.
E-mail: reception@eksmo-sale.ru

Мелкооптовая торговля книгами «Эксмо» и товарами «Эксмо-канц»:
117192, Москва, Мичуринский пр-т, д. 12/1. Тел./факс: (095) 411-50-76.
127254, Москва, ул. Добролюбова, д. 2. Тел.: (095) 745-89-15, 780-58-34.
www.eksmo-kanc.ru e-mail: kanc@eksmo-sale.ru

Полный ассортимент продукции издательства «Эксмо» в Москве
в сети магазинов «Новый книжный»:
Центральный магазин — Москва, Сухаревская пл., 12
(м. «Сухаревская»,ТЦ «Садовая галерея»). Тел. 937-85-81.
Информация о других магазинах «Новый книжный» по тел. 780-58-81.

В Санкт-Петербурге в сети магазинов «Буквоед»:
«Книжный супермаркет» на Загородном, д. 35. Тел. (812) 312-67-34
и «Магазин на Невском», д. 13. Тел. (812) 310-22-44.

Полный ассортимент книг издательства «Эксмо»:
В Санкт-Петербурге: ООО СЗКО, пр-т Обуховской Обороны, д. 84Е.
Тел. отдела реализации (812) 265-44-80/81/82/83.
В Нижнем Новгороде: ООО ТД «Эксмо НН», ул. Маршала Воронова, д. 3.
Тел. (8312) 72-36-70.
В Казани: ООО «НКП Казань», ул. Фрезерная, д. 5. Тел. (8432) 70-40-45/46.
В Киеве: ООО ДЦ «Эксмо-Украина», ул. Луговая, д. 9.
Тел. (044) 531-42-54, факс 419-97-49; e-mail: sale@eksmo.com.ua

ДЛЯ ЗАМЕТОК

ДЛЯ ЗАМЕТОК

ДЛЯ ЗАМЕТОК